MARI EMLYN

Tipyn o'n Hanes

Cyhoeddwyd yn 2010 gan
Wasg Gomer, Llandysul, Ceredigion SA44 4JL

ISBN 978 1 84851 284 9

Llun y clawr: Ed Gold. www.edgold.co.uk

Dymuna'r cyhoeddwyr gydnabod cymorth
Cyngor Llyfrau Cymru.

Argraffwyd a rhwymwyd yng Nghymru gan
Wasg Gomer, Llandysul, Ceredigion

CYNNWYS

CYFLWYNIAD

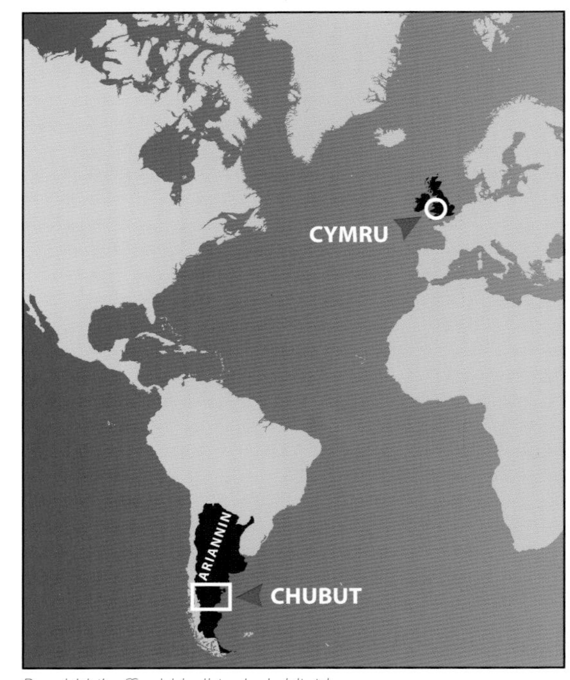

Roedd hi'n ffordd bell i wlad ddieithr

Stori'r ymfudo i sefydlu gwladfa Gymreig yn Ne America yw un o'n hanesion mwyaf arwrol a beiddgar fel cenedl. Dyma'r Cymry, am unwaith, yn gweithredu yn hytrach na dim ond ffurfio pwyllgor!

Mae llawer ohonon ni'n gwybod am y Wladfa ym Mhatagonia ond faint, tybed, sy'n gwybod pam oedd angen ymfudo, pwy gafodd y syniad o ymfudo i Batagonia, ble mae Patagonia, pwy aeth yno, a faint o'r disgynyddion sy'n siarad Cymraeg heddiw?

Pam ymfudo?

Yn ystod y bedwaredd ganrif ar bymtheg roedd hi'n anodd iawn, os nad yn amhosib, i weithwyr yng Nghymru gael dau ben llinyn ynghyd. Y cyflogwr, yn aml iawn, oedd y landlord, a byddai'r cyflog yn mynd yn syth yn ôl i boced y landlord hwnnw fel rhent. Os oedd gan denant hawl i bleidleisio, roedd yn ofynnol iddo fwrw'i bleidlais dros y tirfeddiannwr, neu fe fyddai'n debygol iawn o gael ei daflu allan o'i gartref. Cosbid y gweithiwr hefyd os nad oedd yn aelod o Eglwys Loegr. Y landlord yn sicr oedd y bwgan yn yr ardaloedd gwledig. O gymoedd diwydiannol y de yr ymfudodd nifer helaeth o aelodau mintai'r *Mimosa*, sef y llong a gludodd yr ymfudwyr cyntaf o Gymru i Batagonia yn 1865, a'r barwniaid glo oedd y gormeswyr yno. Nid oedd gan y Cymro cyffredin rym i newid y drefn.

Ymfudodd miloedd ar filoedd o Gymry yn ystod y cyfnod hwn, y rhan fwyaf ohonyn nhw i America. Mae'r hanesydd John Davies yn amcangyfrif fod o leiaf 60,000 o bobl wedi ymfudo i'r Unol Daleithiau rhwng 1850 ac 1870. Ffoi rhag gormes a thlodi wnaeth y rhan fwyaf ohonyn nhw, ac roedd hyn yn wir hefyd am deithwyr y *Mimosa*. Roedd rhai yn eu plith a fynnai hefyd ryddid gwleidyddol, crefyddol ac addysgiadol. Bryd hynny, drwy gyfrwng yr iaith Saesneg y derbyniai llawer o blant uniaith Gymraeg eu mymryn addysg. Roedd cyfnod y bedwaredd ganrif ar bymtheg yn ferw o anniddigrwydd cymdeithasol ac roedd amryw yn dyheu am Gymru newydd.

Pwy gafodd y syniad o ymfudo i Batagonia?

Enw a gysylltir yn aml â Gwladfa Patagonia yw Michael D. Jones – ond nid ef a gafodd y syniad o ymfudo i Batagonia. Nid o Gymru y daeth y syniad, ond o blith y gymuned o Gymry oedd wedi ymfudo i'r Unol Daleithiau. Roedd Patagonia'n wlad anghysbell, ond roedd cyfle yno i arloesi a chreu cymuned o'r cychwyn cyntaf. Yn ogystal, roedd llywodraeth yr Ariannin yn fodlon cynnig darnau helaeth o dir er mwyn datblygu tir anial y rhan hon o'r wlad.

Ddydd Nadolig 1855, ffurfiwyd Cymdeithas Wladfaol yn Camptonville, Califfornia, ac yma y crybwyllwyd Patagonia fel man addas i ymfudo iddo. Yn y cyfarfod hwnnw roedd Cymro ifanc o Wisconsin. Yn ei araith y diwrnod hwnnw dywedodd Edwin Cynrig Roberts wrth ei gynulleidfa:

> *'Wyddoch chi beth, bobl? Byddai yn well gennyf fi gael fy nghladdu yn fyw tra yn siarad Cymraeg na byw bedair ugain mlynedd a'm claddu yn lanci main. Mae yn y gorllewin yma ddeng mil ar hugain o Gymry. Gwerthwch eich ffermydd, bob copa walltog, a dewch gyda mi i Batagonia yn un fintai gref – does allu yn y byd saif o'n blaen. Awn yn llu i chwilio am le i osod sylfaen gwlad a thref.'*
>
> (*Yr Hirdaith*, Elvey MacDonald t. 7)

Edwin Cynrig Roberts

Roedd Edwin Cynrig Roberts yn rhwystredig oherwydd diffyg brwdfrydedd cymuned y Cymry i'r America tuag at y cynllun, ac yn 22 oed, penderfynodd ymfudo i Batagonia ar ei ben ei hun yn 1860.

Pan gyrhaeddodd Edwin Cynrig Roberts Efrog Newydd ar ei daith fawr, dywedwyd wrtho am ddymuniad Michael D. Jones a rhai o'i gyfoedion i sefydlu gwladfa yn Mhatagonia. Yn wir, efallai y byddai'r Cymry gartref yn fwy parod i wneud hynny na Chymry'r Unol Daleithiau.

Yn hytrach na theithio i Batagonia, felly, aeth Edwin yn ei flaen i Gymru. Yno, cydweithiodd ar y syniad o ymfudo i Batagonia gyda Michael D. Jones a chriw o Gymry Lerpwl, yn eu plith yr argraffydd Lewis Jones, a'r saer a'r ymgyrchydd tanbaid Hugh Hughes, 'Cadfan'.

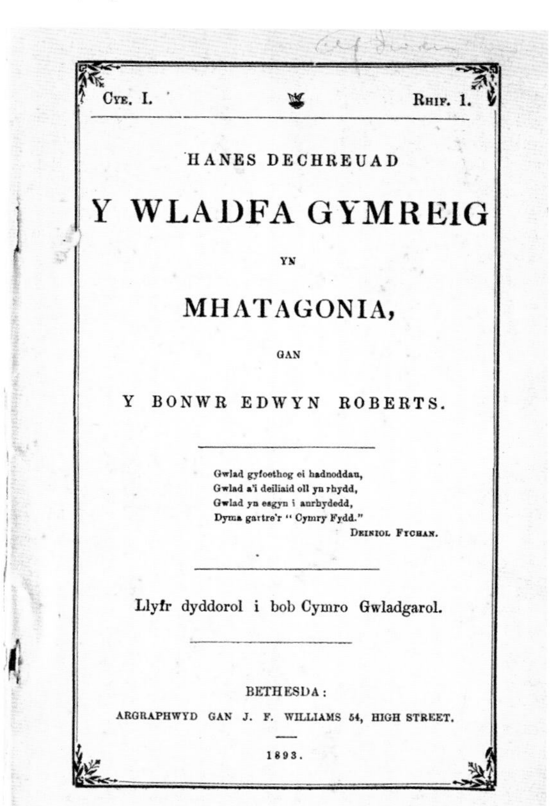

CYF. I. RHIF. 1.

HANES DECHREUAD

Y WLADFA GYMREIG

YN

MHATAGONIA,

GAN

Y BONWR EDWYN ROBERTS.

Gwlad gyfoethog ei hadnoddau,
Gwlad a'i deiliaid oll yn rhydd,
Gwlad yn esgyn i anrhydedd,
Dyma gartre'r "Cymry Fydd."

DEINIOL FYCHAN.

Llyfr dyddorol i bob Cymro Gwladgarol.

BETHESDA:

ARGRAPHWYD GAN J. F. WILLIAMS 54, HIGH STREET.

1893.

Ble mae Patagonia?

Mae Patagonia yn rhan o'r Ariannin yn Ne America ac mae bron bedair gwaith maint arwynebedd Prydain. Ymsefydlodd y Cymry'n gyntaf mewn ardal heb fod ymhell o'r môr yn nwyrain Patagonia, cyn ehangu eu tiriogaeth maes o law 400 milltir i'r gorllewin ger mynyddoedd yr Andes a'r ffin â Chile.

Pwy aeth i Batagonia gyntaf?

Hwyliodd Lewis Jones, ei wraig Ellen ac Edwin Cynrig Roberts i Batagonia ym mis Mawrth 1865 i baratoi ar gyfer y fintai gyntaf. Ar 28 Mai 1865, fe deithion nhw mewn sgwner o'r enw *Juno* o Buenos Aires i Carmen de Patagones. Treflan filwrol ar lan ogleddol afon Negro oedd Patagones. Roedd hi tua 250 milltir o Borth Madryn, hon oedd y dref agosaf at y Wladfa a oedd dan sofraniaeth yr Ariannin. Ar yr un diwrnod, ymfudodd 162 o Gymry o Lerpwl ar fwrdd y *Mimosa*. Roedd traean o'r fintai hon yn blant. Cyrhaeddodd mintai arall yn 1874, a llong yr *Orita* a gludodd y fintai fawr olaf i'r Wladfa yn 1911.

Faint sy'n siarad Cymraeg yn y Wladfa heddiw?

Mae'n anodd rhoi ffigwr manwl. Mae rhai'n honni bod cynifer â 7,000 o Archentwyr yn gallu siarad Cymraeg yno. Yn ystod yr ugain mlynedd diwethaf cymerwyd camau breision i sicrhau bod dosbarthiadau Cymraeg ar gael i blant ac oedolion. Ceir hefyd rai ysgolion meithrin, ond Ysgol yr Hendre yn Nhrelew yw'r unig ysgol gynradd ddwyieithog (Cymraeg a Sbaeneg) ar hyn o bryd. Er bod ymgyrch ar droed i sefydlu ysgol yn y Gaiman hefyd, nid yw Gweinyddiaeth Addysg Talaith Chubut wedi dyfarnu hyd yn hyn a ganiateir y cais na phryd y gall yr ysgol ddechrau ar ei gwaith.

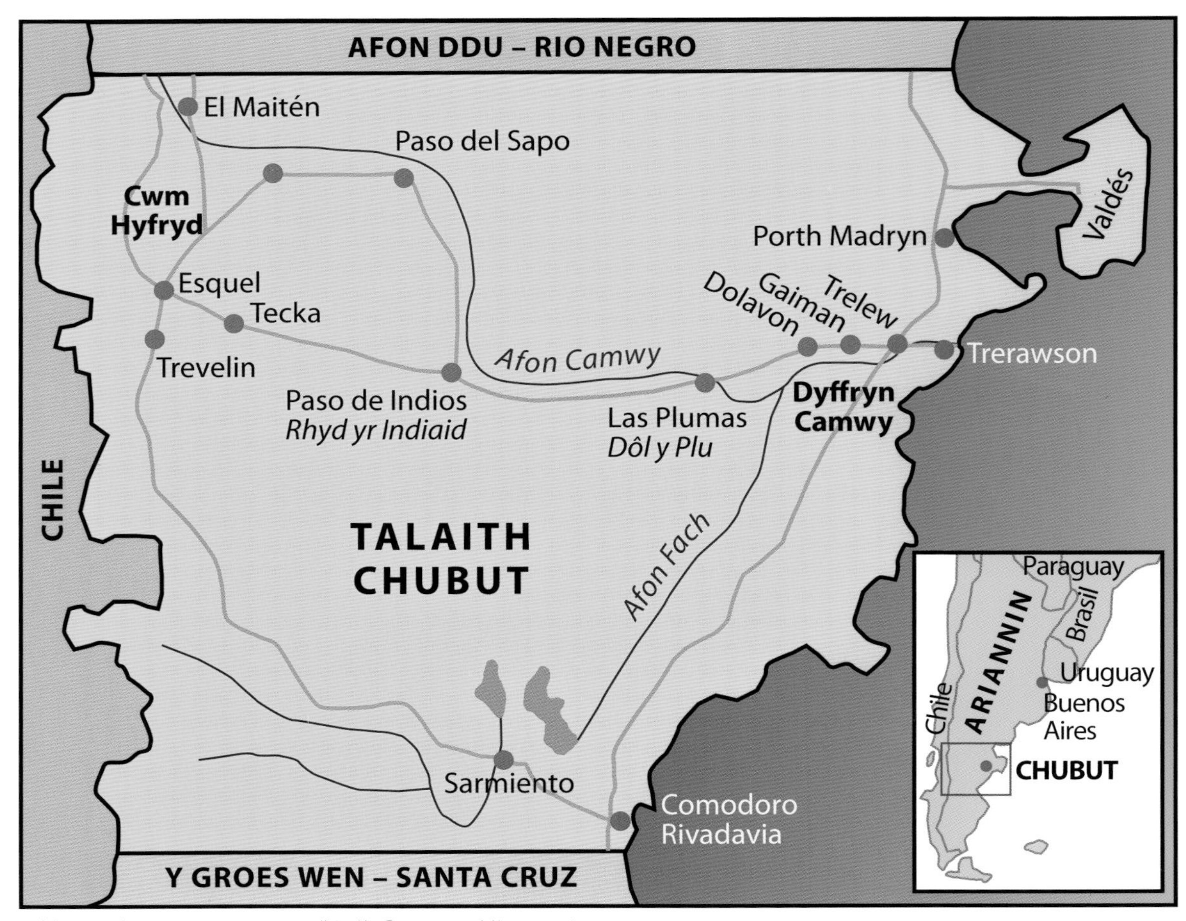

Map yn dangos mannau a gysylltir â'r Cymru ym Mhatagonia

A WYDDECH CHI?

Pytiau o wybodaeth a ffeithiau difyr am y Wladfa

Y Mimosa, *a gludodd yr ymfudwyr cyntaf i Batagonia*

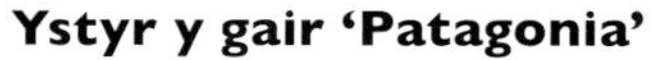

Ystyr y gair 'Patagonia'

Ceir sawl dehongliad o'r gair 'Patagonia' ond mae'n debyg mai'r un mwyaf credadwy yw'r un a gysylltir â'r arloeswr Ferdinand Magellan o Bortiwgal, a ddarganfu'r wlad yn 1520. Mae'r enw'n deillio o'r gair 'patagon', sy'n golygu traed mawr. Arferai'r brodorion Indiaidd wisgo crwyn yr anifail *guanaco* am eu traed a gwnâi'r esgidiau rhyfedd yma i'w traed ymddangos yn enfawr. Dyna pam y galwodd Magellan y wlad yn 'Patagonia', sef 'tir y traed mawr'.

Y *Mimosa*

Mae llong y *Mimosa* bellach yn rhan allweddol o stori'r Wladfa. Ond nid ar y *Mimosa* y bwriadwyd cludo'r Cymry o Lerpwl i'r Wladfa. Yr *Halton Castle* oedd enw'r llong a logwyd yn wreiddiol. Roedd yr *Halton Castle* i fod i hwylio ar 25 Ebrill 1865 gyda dros 200 o ddarpar ymfudwyr ar ei bwrdd. Ond roedd y llong yn hwyr yn cyrraedd y porthladd, ac oherwydd yr oedi a diffyg arian i'w cynnal eu hunain yn Lerpwl, tynnodd nifer o bobl eu henwau'n ôl. Ciliodd sawl un hefyd yn sgil adroddiadau anffafriol yn y wasg gan wrthwynebwyr yr ymfudiad i Batagonia.

Ofnai Michael D. Jones y byddai'r freuddwyd am y Wladfa ym Mhatagonia yn llithro o'i afael. Roedd eisoes wedi buddsoddi amser, egni a symiau enfawr o arian yn y fenter. Gydag arian ei wraig Anne, talodd dros £2,000 i logi llong cwbl anaddas i gludo'r Cymry dros 8,000 o filltiroedd i Batagonia. Cragen o long a arferai gludo te oedd hi, a hon oedd y *Mimosa*. Bu'n rhaid ei haddasu'n sydyn i gludo pobl, a gosodwyd planciau pren fel gwelyau i'r gwragedd cyn iddi adael Lerpwl. Hwyliodd ar 28 Mai 1865, gyda 162 o ymfudwyr ar ei bwrdd. Bu'n daith o ddau fis cyn i'r llong lanio ym Mhorth Madryn ar 28 Gorffennaf.

Y WLADYCHFA GYMREIG.

BYDD y LLONG HALTON CASTLE, 700 tunell, Cadben WILLIAMS, yn hwylio o LIVERPOOL i'r WLADYCHFA GYMREIG, ar y 25ain o EBRILL, 1865. CLUDIAD, 12p. am rai mewn oed; 6p. am blant dan ddeuddeg. Ernes, 1p. dros rai mewn oed; 10s. dros blant—i'w hanfon i'r Trysorydd, Mr. O. EDWARDS, 22, Williamson-square, Liverpool: a'r gweddill i'w talu pan ddeuir i Liverpool i gychwyn.

Y mae 100 erw o dir ac anrhegion o geffylau, ychain, defaid, gwenith, celfi, &c., i bob tri ymfudwr yn y llong uchod—y flaenoriaeth o ddewis tir yn ol trefn derbyniad yr ernes; ac y mae'r Cynghor wedi anfon dau Brwyadur i wneuthur pob parotoadau cyrhaeddadwy erbyn y glanio'r sefydlwyr.

Gellir cael tafleni ymofyniad, a manylion pellach, drwy anfon at yr Ysgrifenyddion.

Swyddfa (dros dymhor),
22, Williamson-square.

Yr hysbyseb gyntaf yn gofyn am bobl i fynd i'r Wladfa

Michael D. Jones (1822–98)

Michael D. Jones

Ni hwyliodd Michael D. Jones ar y *Mimosa*. Ni fu erioed yn byw yn y Wladfa. Aeth yno ar un ymweliad yn unig, a hynny am gyfnod o bum mis yn 1882. Aeth dau o'i feibion yno i fyw, sef Llwyd ap Iwan a Mihangel ap Iwan. Yn dilyn gwariant mawr ar y *Mimosa*, yn ogystal â chostau llong arall o'r enw *Myfanwy*, a gludodd Lewis Jones a'i deulu i'r Wladfa yn 1870, cafodd Michael D. Jones ei wneud yn fethdalwr.

Lewis Jones (1836–1904) yn alltud

Wynebodd Lewis Jones a'i wraig Ellen anawsterau lu wrth geisio paratoi ar gyfer yr ymfudwyr. Cafwyd stormydd ar y daith a thân ar fwrdd y llong, cafodd Ellen ddamwain ddifrifol wrth farchogaeth ac roedd y sefyllfa wleidyddol yn anodd gan fod yr Ariannin wedi mynd i ryfel yn erbyn Paraguay'r flwyddyn honno. O ganlyniad ni lwyddwyd i baratoi'n ddigonol ar gyfer mintai'r *Mimosa* ym Mhorth Madryn. Wedi'r *Mimosa* lanio, roedd y fintai'n anhapus iawn nad oedd y paratoadau wedi'u gwneud fel yr addawyd iddynt. Roedd y tywydd a'r amodau'n anffafriol. Cafwyd sawl anffawd a nifer o golledion. Bu farw sawl un o'r ymfudwyr. Gwnaeth rhai o'r ymfudwyr gais am symud i ran arall o Batagonia, neu i wlad arall. Lleisiodd llawer ohonyn nhw eu dicter at Lewis Jones ac fe'i beirniadwyd yn hallt mewn cyfarfod cyhoeddus a stormus fis Tachwedd 1865. Bedwar mis wedi'r glanio, aeth Lewis Jones a'i wraig a'i frawd i Buenos Aires, gan broffwydo nad oedd dyfodol i'r Wladfa. Ond gweithiodd Lewis yn ddiflino yno, a llwyddo i ddwyn perswâd ar lywodraeth yr Ariannin i roi cymorth i'r Gwladfawyr. Cafodd groeso cynnes gan y Gwladfawyr pan ymgartrefodd o'r diwedd yn y Wladfa gyda'i deulu yn 1870.

Lewis Jones

Carchar dros egwyddor

Ddiwedd y bedwaredd ganrif ar bymtheg, aeth oddeutu 60 o Wladfawyr ifanc i'r carchar oherwydd iddynt wrthod cymryd rhan mewn ymarferiadau milwrol ar y Sul. Adwaenid yr helyntion hyn fel 'Helynt y Drilio'. Nid gwrthwynebu'r fyddin yr oedden nhw, ond y ffaith mai ar y Sul y cynhelid yr ymarferiadau. Ddechrau 1899, wedi ymgyrchu dwys, caniatawyd i'r Gwladfawyr ddrilio ar ba ddiwrnod bynnag y mynnen nhw.

Blaengarwch

Gan i'r Gwladfawyr sefydlu ysgol gynradd yn fuan wedi'r Glaniad yn 1865, yn y Wladfa ac nid yng Nghymru y sefydlwyd yr ysgol gynradd Gymraeg gyntaf!

Gofalodd y Wladfa hefyd fod gan ferched yr un hawl i bleidlais gudd â'r dynion. Ni chafwyd pleidlais i ferched ym Mhrydain tan hanner can mlynedd yn ddiweddarach.

GŴYL Y GLANIAD

Er na cheir diwrnod o wyliau ar ddydd Gŵyl Dewi yng Nghymru, ar 28 Gorffennaf ceir diwrnod o wyliau drwy dalaith Chubut i ddathlu'r dyddiad pryd y glaniodd mwyafrif aelodau mintai'r *Mimosa*.

HUNLLEF Y DYDDIAU CYNNAR

Carreg fedd Hannah Jones, un o fintai'r Mimosa

Cyn i'r *Mimosa* hwylio o Lerpwl gyda 162 o Gymry ar ei bwrdd, codwyd baner y Ddraig Goch ar yr hwylbren. Gwrthwynebai'r Saeson ar y lan y weithred hon a bu gweiddi mawr a gwawdio'r Cymry. Tawelodd y Saeson wrth glywed y Cymry ar y *Mimosa*'n canu'r alaw 'God Save the Queen'. Efallai y byddai'r bonllefau wedi ailgychwyn pe byddai'r Saeson wedi deall y geiriau:

> Ni gawsom wlad sydd well
> Ym Mhatagonia bell,
> Y Wladychfa yw;
> Cawn yno fyw mewn hedd,
> A Chymro ar y sedd;
> Boed mawl i Dduw.

Profedigaethau

Bu farw pedwar o blant yn ystod y fordaith ar y *Mimosa*. Wrth i'r llong fwrw'i hangor yn nyfroedd Porth Madryn, bu farw plentyn arall. Gorchwyl cyntaf y Cymry ar ôl glanio, felly, oedd torri bedd i blentyn William a Catherine Jones, Mary Ann Jones, oedd yn dair oed. Bu Jane, ei chwaer 16 mis oed, farw dair wythnos yn ddiweddarach ac fe'i claddwyd hithau ym Mhorth Madryn.

Rhy hwyr . . .

Pan gyrhaeddodd yr ymfudwyr cyntaf Batagonia, roedden nhw ddau fis yn rhy hwyr i fedru trin y tir, gan fod y cyfnod hau wedi dod i ben. Roedd hi'n ganol gaeaf, yn oer ac yn bwrw glaw pan laniodd y Cymry ym Mhorth Madryn. Doedd dim tai pwrpasol wedi'u codi ar eu cyfer, ac felly roedd y merched yn gorfod coginio yn yr awyr agored, a chyda'r chwa leiaf o wynt, byddai'r bwyd prin yn cael ei orchuddio â thywod.

Dafydd Williams

Crydd o Aberystwyth oedd Dafydd Williams. Yn ystod y fordaith ar y *Mimosa*, honnodd mai ef fyddai'r person cyntaf i gyrraedd yr afon a'r dyffryn lle roedd y Cymry'n bwriadu ymsefydlu. Yn union ar ôl glanio, ddechreuodd redeg, heb edrych yn ôl, ar draws y tir tywodlyd, diderfyn. Welwyd mohono'n fyw byth wedyn. Darganfuwyd gweddillion ei gorff ar y paith ddwy flynedd a hanner yn ddiweddarach.

Anawsterau

Roedd angen paratoi ffordd rhwng Porth Madryn a Dyffryn Camwy (sydd ychydig dros 40 milltir i ffwrdd), gan mai yno roedd dŵr croyw. Yn anffodus, aeth nifer o ddynion ar goll wrth geisio cyrraedd yno. Yn ôl yr hanes roedd rhai o'r dynion, tra oedden nhw'n teithio drwy'r tir anial i gyfeiriad yr afon, wedi gorfod yfed eu dŵr eu hunain er mwyn torri eu syched. Cafwyd sawl anhawster a phrofedigaeth yn ystod y teithiau hyn. Wrth weld pa mor anodd oedd hi i groesi'r paith, penderfynwyd y byddai'r gwragedd a'r plant yn teithio i'r dyffryn ar long yr oedd Lewis Jones wedi cael gafael arni. Y *Mary Helen* oedd enw'r llong anffodus hon.

Ofn

Ofn mawr y Cymry oedd ymosodiad gan yr Indiaid brodorol, llwyth y Tehuelche. Nid oedd sail i'w hofnau oherwydd yr oedd yr Indiaid wedi gwirioni ar ganu cynulleidfaol y Cymry. Roedd nifer o ffactorau eraill yn gwneud presenoldeb y Gwladfawyr yn atyniadol i'r brodorion. Y pennaf, efallai, oedd nad oedd angen mwyach iddyn nhw deithio'r holl ffordd i Batagones i fasnachu. Roedd y Wladfa'n nes, a chaent well bargen a llawer gwell triniaeth gan y Cymry. Daeth y brodorion a'r Gwladfawyr yn gyfeillion, gan gyfnewid cig am fara ac fe ddysgodd yr Indiaid y newydd-ddyfodiad i hela a thrwy hynny eu harbed rhag newyn. Mewn llythyr at Ceiriog, dywedodd Twmi Dimol, stiward ar y *Mimosa*, am yr Indiaid:

> *y maent yn dysgu Cymraeg yn ardderchog;*
> *medrant ddweyd ugeiniau o eiriau yn barod.*
> *Y maent yn lecio y Cymry, meddent hwy,*
> *oherwydd nid ydynt gymaint lladron ag Yspaeniaid*
> *Patagonia.*
>
> (*Cymru*, 1910)

Dechrau o'r dechrau

Ddeunaw mis ar ôl ymsefydlu ym Mhatagonia, penderfynodd llawer o'r Cymry adael a cheisio gwell lle yn un o daleithiau gogledd yr Ariannin. Aethon nhw i Borth Madryn i ddisgwyl llong, ac yno fe berswadiwyd y rhan fwyaf ohonyn nhw i aros yn Nyffryn Camwy. Gadawodd pum teulu'r Wladfa ac aeth y gweddill yn ôl dros y paith ym mis Awst 1867. Pan ddychwelon nhw i'r Dyffryn, fe welson nhw fod eu bythynnod wedi'u llosgi i'r llawr gan yr Indiaid, nad oedd eisiau gweld Sbaenwyr yn ymgartrefu yno yn lle'r Cymry. Dim ond dau dŷ oedd yn dal i sefyll. Roedd yn rhaid dechrau o'r dechrau eto.

Catherine Davies a'i phlant, a deithiodd ar y Mimosa

Aelodau o lwyth y Tehuelche

LLONGAU'R WLADFA

Thomas Pennant, 'Twmi' Dimol

Roedd llongau'r Wladfa'n gyswllt allweddol rhwng y Wladfa a gweddill y byd. Ond roedd diffyg profiad y Gwladfawyr a'r arweinyddion yng Nghymru o fasnach y môr yn anfantais ddybryd i lwyddiant y sefydliad yn ystod y blynyddoedd cynnar. Hyd yn oed wedi achos yr *Halton Castle* a'r *Mimosa* yn 1865, roedd hi'n amlwg nad oedd yr arweinwyr yn deall sut i drin a thrafod prynu a llogi llongau, na chwaith sut i sicrhau fod y llongau hynny'n addas at y gwaith o fasnachu neu gludo ymfudwyr. Hanes cythryblus, a dweud y lleiaf, sydd i longau'r Wladfa. Dyma stori rhai ohonynt.

Y *Mary Helen*

Ar 5 Awst 1865, aeth Lewis Jones i Carmen de Patagones i nôl nwyddau i'r Gwladfawyr. Bu i ffwrdd am dros fis – amser hir i'r Gwladfawyr oedd heb fawr ddim bwyd i'w cynnal. Dychwelodd ar fwrdd y *Río Negro*, sef y llong a gludai'r milwyr a anfonwyd i 'sefydlu' tref Rawson. Ar yr un diwrnod, cyrhaeddodd y *Mary Helen*, llong a huriwyd i gynnal masnach rhwng y Wladfa a thref Patagones. Gan i'r dynion gael cynifer o anawsterau wrth geisio croesi'r paith tuag at y dyffryn, ar 5 Medi, penderfynwyd anfon mwyafrif y merched a'r plant ar y *Mary Helen*.

Disgwylid mai taith diwrnod neu ddau yn unig fyddai hon, ond oherwydd nad oedd y llong yn addas i gludo pobl ac iddi godi'n storm, yn ôl honiadau'r Capten, bu'r merched a'r plant ar fwrdd y llong am bythefnos. Mae lle i amau geirwiredd y Capten parthed y storm, gan iddo (yn gyfleus iawn) 'gysgodi' ger ynys y *guano* (carthion ystlumod, oedd yn werthfawr iawn yn y cyfnod) a llwytho'r cynnyrch proffidiol hwnnw ar fwrdd y llong. Dim ond digon o fwyd am dridiau oedd ar y llong. Dioddefodd y gwragedd a'r plant yn enbyd yn ystod y fordaith helbulus hon ac am wythnosau wedi hynny.

Pan angorodd y llong o'r diwedd, aeth y dynion mewn cychod at y *Mary Helen* er mwyn gweld eu gwragedd a'u plant, oedd yn wan ac yn wael. Pan gyrhaeddodd y dynion at y llong, gwelsant fod y Capten wedi gorlwytho'r cychod oedd i fynd yn ôl i'r lan. Disgynnodd llawer o'r cargo (coed yn bennaf, ar gyfer adeiladu) i'r dŵr gan achosi colledion mawr. Wrth gludo rhan o'r llwyth mewn cwch i'r fan lle'r oedd y gwladfawyr wedi ymsefydlu, boddodd gŵr o'r enw John Davies yn yr afon.

Bu'n rhaid i'r merched a'r plant newynog gerdded y chwe milltir i'r ymsefydliad. Rhai dyddiau'n ddiweddarach bu farw Rachel Jenkins, baban tri mis oed Aaron a Rachel Jenkins, a anwyd ar y *Mimosa*.

Y *Denby*

Dyma un o drychinebau mawr cyntaf y Wladfa. Prynodd William Davies, a olynodd Lewis Jones fel Llywydd, long at wasanaeth y Wladfa, a chyfrannodd y llywodraeth ychydig o arian tuag at ei phrynu. Cyfrannodd masnachwr o Sais o'r enw J. H. Denby £100 tuag at y costau a pherswadiodd nifer o gyfranddalwyr eraill i ymuno yn y fenter. I gydnabod ei gymwynas, rhoddwyd ei enw ar y llong. Defnyddiwyd y llong ar sawl siwrne o Borth Madryn i Batagones i gyrchu nwyddau yr oedd mawr eu hangen ar y Gwladfawyr. Roedd aber afon Camwy yn hynod o dwyllodrus, a sigwyd y llong dro ar ôl tro ar amryw o'r teithiau hyn. Roedd cyflwr y *Denby* yn mynd yn fwy a mwy bregus gyda phob mordaith a bu'n rhaid ei thrwsio sawl tro. Y noson cyn iddi fynd ar daith arall i Batagones yn 1868, cafwyd parti ar ei bwrdd.

Roedd Edwin Cynrig Roberts i fod i hwylio arni gyda'r criw o chwech, ond breuddwydiodd y noson honno i'r llong fynd i drybini mewn storm a gwrthododd deithio arni. Hwyliodd y llong, heb Edwin arni, i Batagones i nôl bwyd. Yno, llwythwyd hi â bwyd ac ychen. Gadawodd y *Denby* dref Patagones ar 16 Chwefror 1868. Welwyd mo'r llong byth wedyn, ac arweiniodd hyn at brinder bwyd a galar yn y Wladfa unwaith eto. Un o'r criw anffodus ar y *Denby* oedd Twmi Dimol, brodor o Bennant Melangell.

Y *Myfanwy*

Roedd hanes prynu'r *Myfanwy* hefyd yn llawn helbulon. Roedd angen dau fath o long ar y Gwladfawyr: un i gludo mwy o ymfudwyr atyn nhw i'w helpu gyda'r gwaith o arloesi gwlad newydd, ac un y byddai'r Gwladfawyr yn gallu ei defnyddio i gario nwyddau ac anifeiliaid o Batagones.

Roedd bron i 200 o bobl wedi dangos diddordeb mewn ymfudo i Batagonia yn 1869. Ceisiodd Lewis Jones ddarbwyllo Michael D. Jones i beidio â phrynu'r *Myfanwy* gan nad oedd yn tybio ei bod yn addas. Roedd Lewis Jones yn llygad ei le. Prynu'r llong hon oedd yr hoelen olaf yn arch ariannol Michael D. Jones. Fe'i gwnaed yn fethdalwr a chollodd ei gartref, Bodiwan. Costiodd y *Myfanwy* £2,800 i'w phrynu a £300 i'w chymhwyso ar gyfer y môr. Roedd hi'n fis Chwefror 1870 pan gwblhawyd y gwaith paratoi a chanfuwyd wedyn mai dim ond lle i 11 o ymfudwyr oedd ar ei bwrdd.

Mae'r fordaith hon yn cael ei chofio'n fwyaf arbennig gan mai ar y *Myfanwy* y ganed y llenor Eluned Morgan, ail ferch Lewis ac Ellen Jones.

Y *Rush*, yr *Electric Spark* a'r *Lucerne*

Rhwng 1872 ac 1874, anfonwyd tair mintai o'r Unol Daleithiau i Batagonia a bu'r tair mordaith yn llawn helbulon. Hwyliodd y *Rush* o Efrog Newydd am Buenos Aires yn 1872. Yn dilyn storm fawr, glaniodd y *Rush* yn Montevideo. Yno, clywodd yr ymfudwyr adroddiadau anffafriol am y Wladfa a gwasgarodd y fintai. Ni chyrhaeddodd yr un o'r 29 ymfudwr y Wladfa.

Hwyliodd 33 o ymfudwyr cefnog Cymraeg America ar yr *Electric Spark* yn 1874. Drylliwyd y llong ger Brasil a chollwyd y peiriannau dyrnu a'r peiriannau medi yr oedd Cymry America wedi'u cludo gyda nhw at eu defnydd eu hunain, ond a fyddai hefyd wedi bod o werth mawr i ffermwyr y Wladfa. Ymhen hir a hwyr, yn dilyn profiadau anodd a thorcalonnus, cyrhaeddodd y fintai'r Wladfa ar fwrdd y llong *Irene* ond heb eu heiddo a'u harian.

Cyrhaeddodd y drydedd fintai o 46 o Gymry America yn ddiogel ar fwrdd y *Lucerne* ar ôl dioddef newyn tua diwedd y fordaith.

Yr *Orissa*

Dioddefodd y Wladfa lifogydd enbydus yn 1869, 1899, 1901, 1902 ac 1904. Dinistriwyd dros gant o dai, wyth capel, pum ysgoldy a thri llythyrdy yn ystod llifogydd difrifol 1899. Canlyniad hyn oedd trafod ymfudo eto, i Ganada y tro hwn. Ym mis Mai 1902, aeth 234 o Wladfawyr o Borth Madryn i Ganada ar long yr *Orissa*. Bu colli cynifer o Wladfawyr yn ergyd drom i'r ymsefydlwyr.

Yr Orita, a gludodd nifer mawr o ymfudwyr i'r Wladfa yn 1911

Yr *Orita*

Yn 1911 y daeth y fintai fawr olaf o ymfudwyr o Gymru i'r Wladfa. Hwyliodd 120 o Gymry ar long yr *Orita* a glanio ym Mhorth Madryn ym mis Tachwedd 1911. Bu'r newydd-ddyfodiad yn gaffaeliad i'r bywyd diwylliannol yn y Wladfa gan fod y fintai'n cynnwys rhai beirdd a llenorion. Yn eu plith roedd yr ysgolhaig Arthur Hughes, mab y nofelydd Gwyneth Vaughan a thad Irma Hughes de Jones, bardd a golygydd *Y Drafod* sef papur newydd y Wladfa. Merch ac wyres Irma yw dwy o olygyddion *Y Drafod* heddiw.

Yr haul yn machlud dros Borth Madryn

ENWAU'R WLADFA

Maen nhw'n enwau cyfarwydd i lawer ohonon ni, ond beth yw eu hanes? O'r diwrnod cyntaf, dechreuodd y Cymry fathu enwau Cymraeg ar fannau arbennig eu gwlad newydd. Mae tinc hiraethus i lawer o'r enwau hyn. Er mai fesul rhif y cafodd y ffermydd eu dynodi'n swyddogol, rhoddodd y Cymry enwau ar rai o'u cartrefi newydd, enwau megis: Bod Unig, Bod Eglur, Plas Hedd, Parc yr Esgob, Llyn Tegid, Pont y Meibion, Treorcki.

Porth Madryn

Angorodd y *Mimosa* mewn cilfach o'r enw Port Harbour yn nyfroedd bae mawr llydan y Golfo Nuevo. New Bay neu'r Bae Newydd oedd yr enw 'swyddogol' a ddefnyddiai'r Gwladfawyr gan amlaf, ac anaml y bydden nhw'n cyfeirio at y fan fel Port Harbour.

Mewn llythyr gan Twmi Dimol, a fu'n stiward ar y *Mimosa*, at Ceiriog ar 20 Mehefin 1866, mae'n egluro cefndir Porth Madryn:

> *Yr ydym ni wedi ail fedyddio, neu enwi beth bynnag, Port Harbour, a'i alw yn "Borth Madryn," er anrhydedd i Captain Parry, Madryn Hall, neu Madryn Park, beth yw ei enw? Yr ydym ni yn enwi llawer o fannau a phethau ar ôl ein cefnogwyr.*
>
> (*Cymru*, Ionawr 1910)

Yr enw swyddogol ar Borth Madryn heddiw yw Puerto Madryn.

Camwy

Cyn i'r Cymry ymsefydlu yn y Wladfa, aeth Lewis Jones a'r Barwn Love Jones Parry, Madryn, i archwilio'r wlad yn 1863. Bedyddiodd Lewis Jones afon Chupat yn afon Camwy. Mae'r elfen *wy* yn dynodi dŵr a *cam* yn cyfeirio at y ffaith ei bod yn afon droellog. Mae'n debyg mai dyma un o ystyron enw'r Indiaid brodorol arni hefyd. Er mwyn adnabod gwahanol lecynnau ar hyd trofeydd yr afon bathwyd enwau fel 'Y Drofa Gabaets', 'Y Drofa Dulog' ac 'Y Drofa Hesg'.

Yn ogystal â Chamwy, defnyddiwyd yr enw Chupat, ac yna Chubut, o ddyddiau cynhara'r Wladfa. Mynych yw'r cyfeiriadau mewn pob math o ddogfennau at 'Wladfa'r Chupat/Chubut' yn y Gymraeg a'r Sbaeneg (Colonia del Chupat/Chubut).

Mae afon Camwy yn tarddu ym mynyddoedd yr Andes ac mae'n llifo lawr tua Dyffryn Camwy. Nid yw'n syndod, felly, i lifogydd fod yn fygythiad ac yn felltith i'r gwladychwyr yn ystod y ganrif gyntaf. Erbyn canol y 1960au, cwblhawyd argae mawr Florentino Ameghino ar yr afon. Bu'r argae newydd hwn yn gyfrwng i ffrwyno'r llifogydd yn y gaeaf ac i sicrhau cyflenwad rheolaidd o ddŵr i'r ffosydd dyfrhau. Defnyddir grym y dŵr hefyd i gynhyrchu trydan yn y dyffryn. Yn 1955 cafodd yr ardal ei gwneud yn dalaith a'i henwi'n swyddogol yn Chubut.

Gaiman

Dyma enw'r Indiaid ar y man lle'r ymsefydlodd y Cymry yn Nyffryn Camwy. Ystyr y gair yw 'lle cul' neu 'carreg hogi'. Codwyd tŷ cynta'r Gaiman yn 1874. Erbyn Mai 1876, dywed y Parch. Abraham Matthews, fod 'pentref bychan yn dechrau cael ei ffurfio yn y Gaiman'. 'Pentref Sydyn' oedd enw'r Cymry ar y Gaiman yn ystod y blynyddoedd cynnar, gan adlewyrchu pa mor sydyn y datblygodd.

Y tŷ cyntaf i'w adeiladu yn y Gaiman

Afon Camwy

Argae Florentino Ameghino

'Pentref Sydyn'
y Gaiman heddiw

Gorsedd y Cwmwl uwchben Cwm Hyfryd

Cwm Hyfryd

O fewn ychydig flynyddoedd i sefydlu'r Wladfa, aeth tir amaethyddol yn brin yn Nyffryn Camwy, yn rhannol oherwydd cyfraith y wlad, a bennai fod yn rhaid rhannu eiddo'n gyfartal rhwng y plant ar farwolaeth eu rhieni. Roedd y brodorion wedi dweud wrth y Cymry am diroedd ir yr Andes yn y gorllewin, a bu hynny'n abwyd mawr i'r Gwladfawyr fynd yno i weld drostyn nhw eu hunain. Roedd y Gwladfawyr yn benderfynol o gynnal y daith, a nhw fu'n gyfrifol am godi'r arian i dalu amdani. Perswadiwyd rhaglaw cyntaf y diriogaeth, Luis Jorge Fontana, i'w harwain i archwilio ardaloedd yr Andes gyda'r bwriad o greu ail wladfa Gymreig yno. Cyfeirir at fintai'r daith bwysig hon fel Los Rifleros (reifflwyr) neu Mintai Fontana fel y'i hadnabyddir yn Gymraeg.

Yn ddiweddar mae grŵp o ddynion o'r enw'r Rifleros (rhai ohonynt yn ddisgynyddion i'r Rifleros gwreiddiol), wedi marchogaeth ar draws y paith i'r man lle darganfuwyd Cwm Hyfryd i gofio am yr antur honno.

Cyrhaeddodd mintai Fontana yr Andes, 400 milltir i'r gorllewin o Ddyffryn Camwy, ym mis Hydref 1885. Mae'n rhan o chwedloniaeth bellach i Richard G. Jones, wrth weld y cwm, ryfeddu at brydferthwch yr olygfa o'i flaen a datgan: 'O! Dyma gwm hyfryd!' Dewisodd Fontana'r enw 'Colonia Dieciseis de Octubre' (Gwladfa 16 Hydref), gan mai ar y diwrnod hwnnw yn 1884 y pasiwyd Deddf y Tiriogaethau a greodd diriogaeth Chubut yn swyddogol. Bathwyd 'Bro Hydref' fel fersiwn Cymraeg ohono a chyfeiriai rhai at yr ardal fel 'Dyffryn y Mefus', ond prin fu'r defnydd o'r enwau hynny. Ym mis Chwefror 1891, ymsefydlodd teuluoedd cyntaf y Wladfa newydd yn yr Andes. Hyd heddiw, mae'r rhan hon o'r Andes yn cael ei hadnabod gan y Gwladfawyr fel 'Cwm Hyfryd'.

Taith y Rifleros i Gwm Hyfryd

Trelew

Yn 1886 daeth criw llong y *Vesta* i weithio ar adeiladu rheilffordd o'r dyffryn i Borth Madryn, ac erbyn y flwyddyn ganlynol roedd rheilffordd 45 o filltiroedd o hyd wedi'i cwblhau. Trefnwyd seremoni i agor yr orsaf reilffordd yn swyddogol, a bu cryn drafod ar enw'r orsaf a'r pentref bychan o'i chwmpas. Ffafriwyd 'Llanfair' i ddechrau ond roedd rhai pobl yn pryderu y byddai'r enw'n anodd i rai o'r brodorion ei ynganu. Enw arall a gynigiwyd, fel cydnabyddiaeth i A. P. Bell, peiriannydd gyda'r cwmni rheilffordd, y Ferrocaril Central Chubut, oedd 'Trevell'. Ond cytunwyd yn y pen draw ar enw er anrhydedd i Lewis Jones, sef 'Trelew'. Llond dwrn o adeiladau oedd yn Nhrelew yr adeg honno, ond erbyn heddiw mae dros 100,000 o bobl yn byw yn y dref ac mae adeiladau hen orsaf Trelew bellach yn amgueddfa.

Y trên cyntaf i adael Trelew am Borth Madryn yn 1890

Rawson

Ymfudodd y Cymry gan feddwl bod arweinwyr y mudiad gwladfaol wedi cytuno gyda llywodraeth yr Ariannin y caent greu Cymru newydd ar dir Patagonia. Ar 15 Medi 1865, lai na deufis ar ôl i'r fintai gyntaf lanio, cynhaliwyd defod filwrol gan 16 o filwyr a gynrychiolai lywodraeth yr Ariannin. Codwyd baner las a gwyn yr Ariannin am y tro cyntaf erioed ar dir Patagonia fel symbol o hawl y Weriniaeth ar y wlad. Daeth y milwyr yno i roi'r hawl i'r Cymry ymsefydlu yno, ond nid i wladychu.

Rhoddwyd yr enw 'Rawson' ar y dref a fyddai'n cael ei sefydlu yno, a hynny er anrhydedd i'r Dr Guillermo Rawson, Gweinidog Cartref y Weriniaeth. 'Caer Antur' oedd yr enw a roddwyd gan y Gwladfawyr yn wreiddiol, ond fel 'Trerawson' y cyfeirient at y lle wedi hynny. Roedd y Gwladfawyr yn siomedig nad oedd eu Gwladfa Gymreig yn ffaith ac roedd llawer yn anfoddog iawn â Lewis Jones am iddo, yn eu tyb nhw, eu camarwain.

Aelodau o'r grŵp cyntaf o ymfudwyr, Rawson, 28 Gorffennaf 1890

MERCHED Y WLADFA

Marìa Humphreys de Davies (1865–1928) oedd y plentyn cyntaf-anedig i Gymry yn y Wladfa

Mae llawer o sylw'n cael ei roi i wrhydri'r arloeswyr cynnar yn y llyfrau hanes, ond tan yn gymharol ddiweddar ni fu cymaint o sôn am gyfraniad y merched dewr a ymsefydlodd yn nhir anial Patagonia.

Bedwar mis wedi i'r *Mimosa* lanio yn sgil yr anghydweld a'r rhwygiadau chwerw ymysg rhai o'r ymfudwyr, gadawodd Lewis Jones, ei wraig Ellen, a phump arall o'r Gwladfawyr am Buenos Aires. Yn eu plith roedd yr unig feddyg ymhlith y fintai gyntaf, Gwyddel o'r enw Dr Thomas Greene. Oherwydd hyn, nid oedd meddyg ar gael o gwbl yn ystod misoedd cyntaf llwm y Wladfa. Daeth y merched yn gyfarwydd â chaledi a phrofedigaethau. Y merched gymerodd yr awenau yn gweini ar y cleifion a hynny heb gymorth moddion na meddygon. Dros y blynyddoedd daeth merched y Wladfa yn arbenigwyr fel bydwragedd.

Cerflun i gofio bydwragedd y Wladfa, gan Sergio Owen o Fryn Gwyn. Dadorchuddiwyd yn Nyffryn Camwy yn 2003

Merch – Marìa Humphreys de Davies – oedd y plentyn cyntaf-anedig i Gymry yn y Wladfa. Fe'i henwyd er cof am ferch fach William a Catherine Jones. Hysbyswyd ei thad, Maurice Humphreys, a oedd wedi mynd gyda chriw o ddynion tua Dyffryn Camwy, ddeuddydd yn ddiweddarach am enedigaeth ei ferch fach. Galwyd y bryniau gerllaw yn Fryniau Meri i ddathlu genedigaeth plentyn cyntaf y Wladfa.

Doedd amgylchiadau geni ddim bob amser yn hawdd. Teulu William a Mary Ann Freeman, a groesodd y paith o Ddyffryn Camwy yn 1891, oedd un o'r teuluoedd cyntaf i ymsefydlu yn yr Andes. Cymerodd y daith dros 400 milltir o baith anhygyrch ddau fis a

Disgynyddion y teulu Freeman

Wrth gerdded y caeau gyda'i gŵr yn ystod cyfnod o sychder mawr ym mis Tachwedd 1867, sylwodd fod yr afon yn uchel ac awgrymu eu bod yn agor ffosydd o geulannau'r afon. Yn ei hunangofiant, adroddodd ei nai, John Daniel Evans, iddi ddweud:

> *'Wel, Aaron, ydych chwi ddim yn meddwl y deuai dŵr o'r afon i'r fan yma ond torri pwt o ffos gyda'r bâl?' . . . Torrodd fy ewyrth y ffos o'r afon hyd at y cae gwenith a chawsant gnwd toreithiog ar ei ganfed, a dyna ddirgelwch mawr llwyddiant y Wladfa wedi ei gael.*
>
> (*Bywyd a Gwaith John Daniel Evans, El Baqueano,* Paul W. Birt t. 68)

Ym mis Chwefror 1868, cafwyd y cynhaeaf llwyddiannus cyntaf yn y Wladfa. Bu sylweddoli sut y gellid manteisio ar y broses hon o ddyfrhau yn gaffaeliad mawr i'r Gwladfawyr; yn wir, gellir dweud mai'r weledigaeth hon achubodd y Wladfa. Bu farw Rachel ar 15 Gorffennaf 1868, yn 35 oed, cyn cael cyfle i weld llwyddiant dyfrhau'r dyffryn a'i droi o fod yn dir diffrwyth i fod yn ardd ffyniannus. Yn 1873, allforiwyd gwenith o'r Wladfa am y tro cyntaf.

hanner i'w cwblhau. Rhaid edmygu dewrder dynes fel Mary Ann Freeman. Roedd ganddi ddeg o blant eisoes ac roedd hi feichiog eto. Yn ystod y daith honno, ar ganol y paith, fe esgorodd Mary Ann ar ferch ddeg pwys, heb gymorth bydwraig na meddyg, ac fe gafodd y fechan yr enw Mary Paithgan.

Rachel Jenkins

Hwyliodd Rachel a'i gŵr Aaron a'u dau fab, sef James (2 oed) a Richard (4 oed) ar y *Mimosa*. Bu farw James ar fwrdd y llong, a hynny'n fuan wedi gadael Lerpwl. Bwriwyd ei gorff bychan i'r môr. Ganed merch fach arall iddynt yn ystod y daith ac fe'i henwyd yn Rachel. Bu hithau farw ym mis Medi 1865 yng Nghaer Antur. Mae Rachel Jenkins yn adnabyddus oherwydd mai hi a ddarganfu fod y 'tir du, digroen', sef y rhan fwyaf o dir y dyffryn, a anwybyddwyd hyd at hynny, yn ffrwythlon, dim ond iddo gael ei ddyfrhau.

Er mai syniad Rachel Jenkins oedd y cynllun i ddyfrhau'r dyffryn, cyfeirir ati fel esposa (gwraig) heb ei henwi ar y gofeb hon

Calon y cartref

Ei chartrefi oedd calon y Wladfa, a'r merched fyddai'n rheoli yno: yn magu'r plant, yn eu haddysgu, yn eu paratoi ar gyfer mynychu'r capel, yn godro ac yn gwerthu menyn ac wyau yn y farchnad. Byddai'r gwragedd gartref gyda'r plant am gyfnodau hir tra byddai'r gwŷr yn gweithio ac yn teithio ar hyd y paith. Un o ofnau mwyaf nifer o'r gwragedd oedd yn byw ar y paith oedd y *piwma*, neu 'llew Patagonia' fel y'i gelwid gan y Gwladfawyr. Mae'n debyg ei bod yn arferiad gan rai gwragedd a'u plant gysgu ar do'r tŷ tra byddai llew Patagonia'n rhuo o gwmpas y cartref.

Yn ei chyfrol *Dringo'r Andes,* mae Eluned Morgan yn disgrifio sut y byddai'r merched yn coginio ar y paith:

> *'A sut mae pobi ar y paith?' meddech. A oes rhai o foneddigesau Cymru hoffent wybod, tybed? Rhag ofn fod, gwell rhoi rhyw led amcan, ond rhaid dod i Batagonia i ddysgu yn iawn. Gwneir twll hirgul yn y ddaear, heb fod yn ddwfn iawn, a llenwir â thanwydd. Bydded hysbys, fod eisiau bod yn hael gyda'r tanwydd. Yna, wedi llosgi o'r coed yn farwor, tynner ychydig o'r neilltu, a doder y sosban, yn yr hon y mae'r dorth, ar y ddaear boeth. Wedi gofalu bod y clawr yn ddiogel, rhodder y marwor arno, ac ymhen yr awr, bydd gennych gystal torth ag a graswyd yn Llundain erioed.*

Bywyd teuluol

Roedd merched sengl yn brin yn y Wladfa, ac felly pan fyddai gwraig yn cael ei gadael yn weddw ni fyddai'n hir cyn ailbriodi. Mewn llythyr at berthynas iddo, wrth geisio'i berswadio i ymfudo i Batagonia yn 1872 dywed John Jones 'Mountain Ash' oedd yn un o'r fintai gyntaf a deithiodd ar y *Mimosa*:

> *Nis gellwch gael gwell lle byth. Yr wyf yn credu y bydd yn well i chwi ddyfod â gwraig gyda chwi, am nad oes yma ond ychydig iawn o ferched ieuaingc i'w cael, a'r rhai hynny oll yn myned i briodi yn fuan.*
>
> (Baner ac Amserau Cymru, 5 Ebrill 1873)

Bu farw Elizabeth (Betsan) Jones, gwraig John Jones ar 17 Ebrill 1869, gan ei adael i fagu eu chwe phlentyn. Ym mis Mai 1870 priododd John, ac yntau'n 72 oed, â merch o'r enw Catherine Hughes a ddeuai o Fiwmaris yn wreiddiol, a ganed bachgen bach iddynt ym mis Chwefror 1871.

Fe brofodd merched y Wladfa galedi mawr yn y blynyddoedd cyntaf, ond er hyn bu llawer ohonyn nhw fyw i oedran teg. Bathwyd enw arall ar Stryd Michael D. Jones yn y Gaiman, sef 'Hafn y Gweddwon' oherwydd i gynifer o'r merched oroesi eu gwŷr yno.

Elizabeth Pritchard a'i disgynyddion

Merch a wynebodd galedi mawr oedd Elizabeth Pritchard o Bentir, ger Bangor. Hwyliodd ar fwrdd y *Mimosa* a hithau'n 20 oed, a mynd i'r Wladfa i weithio i deulu Lewis Jones. Dywedir ei bod wedi dyweddïo â Dafydd Williams, y gŵr ifanc carismataidd a fu'n diddanu'r Cymry ar y llong ac a ddiflannodd o fewn dyddiau i lanio ym Mhorth Madryn.

Priododd Elizabeth â Twmi Dimol ar 30 Mawrth 1866, yn weddol fuan wedi iddi golli ei dyweddi. Richard Jones (R. J.) Berwyn, un o arweinyddion y Wladfa, oedd cofrestrydd y briodas hon. Cafodd Elizabeth a Twmi Dimol ddau o blant, Gwladus ac Arthur. Pan oedd Arthur yn faban, diflannodd llong y *Denby* gyda'i dad ar ei bwrdd. Priododd Elizabeth ag R. J. Berwyn ddydd Nadolig 1868, ac fe gawsant dri ar ddeg o blant. Roedd enw cyntaf pob un ohonyn nhw'n dechrau â llafariad yn ôl eu trefn, ac yna wedi cael saith o blant, dechreuwyd defnyddio cytseiniaid yr wyddor: Alwen, Einion, Ithel, Owain, Urien, Wyn, Ynver, Bronwen, Ceinwen, Dilys, Fest, Gwenonwy, Helen (gw. y llun ar dudalen 32).

Elisa Dimol de Davies

Mae llawer o ddisgynyddion teulu Elizabeth Pritchard wedi cyfrannu'n helaeth at fywyd Cymraeg yn y Wladfa. Bu Elisa Dimol de Davies, merch Arthur Llewelyn Dimol ac Elizabeth Ellen Jones, ac wyres i Elizabeth Pritchard a Twmi Dimol, yn weithgar iawn ym mywyd diwylliannol y

Wladfa. Enillodd sawl cystadleuaeth ysgrifennu yn eisteddfodau'r Wladfa ac yn y gystadleuaeth i drigolion y Wladfa yn Eisteddfod Genedlaethol Cymru. Wrth ei chyflwyno fel un o enillwyr cystadleuaeth Eisteddfod Genedlaethol Cymru, Caerdydd, dywedodd R. Bryn Williams amdani:

> *Y rhyfeddod yw fod gwraig a anwyd mewn pabell ar y paith yn y flwyddyn 1895, ac na bu erioed yng Nghymru, yn ysgrifennu Cymraeg mor raenus.*
>
> (*Atgofion o Batagonia*, gol. R. Bryn Williams)

Elisa Dimol de Davies

Gweneira Davies de Quevedo

Mae merch Elisa, Gweneira Davies de Quevedo, heddiw'n cyfrannu at fwrlwm eisteddfodau'r Wladfa, y capel a'r ysgol Sul ac mae hithau hefyd yn enillydd cyson mewn cystadlaethau llenyddol yn y Wladfa ac yng Nghymru. Mae'n mynegi ei gobaith am yr iaith yn y gyfrol *Bywyd yn y Wladfa*:

> *Gobeithio y bydd y plant a'r bobl ifanc sydd yn dysgu yn awr yn gwerthfawrogi'r ymdrech ac y cymerant ddiddordeb i gadw'r hen iaith er mwyn gwireddu breuddwyd yr Hen Wladfawyr ddaeth ar y Mimosa, cael gwlad i gadw ein hetifeddiaeth a'n rhyddid.*
>
> (*Bywyd yn y Wladfa*, gol. Cathrin Williams t. 76)

Diwrnod Eisteddfod y Wladfa, 28 Hydref 1978. Elisa Dimol de Davies yn derbyn tystysgrifau gan Gweneira Davies de Quevedo. Yn y llun hefyd mae Glyn Ceiriog Williams, Trelew ac Egryn Williams, Trelew

Tegai Roberts a Luned Vychan Roberts de González

Un o ferched enwocaf y Wladfa yw'r llenor Eluned Morgan, merch Lewis Jones. Roedd gan Eluned chwaer, Myfanwy Ruffudd Jones (1866–1965), a adawyd yn weddw yn dilyn llofruddiaeth ei gŵr, Llwyd ap Iwan, yn 1909. Magodd Myfanwy chwech o blant. Un ohonyn nhw oedd Mair ap Iwan Roberts, oedd yn 13 mlwydd oed pan lofruddiwyd ei thad.

Yn 1911, daeth Mair i Gymru gyda'i modryb, Eluned Morgan, i gael addysg, cyn dychwelyd i'r Wladfa yn 1918. Heddiw, mae dwy o'i merched hithau'n weithgar iawn dros y 'pethe' yn y Wladfa, sef Luned Vychan Roberts de González, cyn-brifathrawes Ysgol Ganolraddol y Gaiman, a'i chwaer, Tegai Roberts, hanesydd y Wladfa, a churadur Amgueddfa'r Gaiman.

Tegai Roberts ger Ysgol y Camwy

Yr Etifeddiaeth

Cyfrannodd Irma Hughes de Jones yn helaeth at fywyd diwylliannol y Wladfa. Yn 1953, yn dilyn marwolaeth annhymig Evan Thomas, golygydd papur y Wladfa, *Y Drafod*, cytunodd Irma i gymryd yr awenau. Mae hi wedi ennill y Gadair saith gwaith yn Eisteddfod y Wladfa, ac fel Elisa Dimol de Davies, mae hi wedi bod yn fuddugol yng nghystadlaethau'r Eisteddfod Genedlaethol ar gyfer pobl o'r Wladfa. Dros y blynyddoedd, cyfansoddodd nifer helaeth o gerddi a darnau rhyddiaith. Cafodd ei derbyn i Orsedd Beirdd Ynys Prydain o dan yr enw Irma Ariannin. Bu'n olygydd *Y Drafod* tan ei marwolaeth yn 2003. Heddiw, ei merch Laura a'i hwyres Rebeca yw dwy o olygyddion *Y Drafod*. Mewn llythyr at berthynas iddi yn 1981, ysgrifennodd Irma:

> *Pan ddaw cyfle anfonwch air eto, rwyf wedi gwerthfawrogi yn eithriadol eich bod wedi trafferthu i wneud. O fam i ferch ar hyd y cenedlaethau y trosglwyddir y gwerthoedd ynte?*

GWEU

'Roedd Neini'n hen
A'i dwylo'n grin,
Ac wrthi'n gweu o hyd
Y byddai hi
Heb flino byth,
I'n cadw ni yn glyd.
Siaradai'n hir
Am ddyddiau fu
Ac am ei Chymru draw,
A'r dyddiau pan
Âi'n hogan fach
I'r ysgol drwy y glaw.
A minnau yno'n
Blentyn bach
Yn gwylio'i dwylo hi
Yn gweu mor gain
Yr hosan wlân
Tra'n adrodd wrthyf i.
Ni wyddai hi
Ei bod fel hyn
(Ni wyddwn innau chwaith)
Yn gweu 'run pryd
Ryw gwlwm tynn
Rhwng Cymru bell a'r paith.

Irma Hughes de Jones

ELUNED MORGAN
(1870–1938)

Eluned Morgan

Merch a ymlafniodd i warchod addysg Gymraeg yn y Wladfa oedd Eluned Morgan. Fel merch i Lewis Jones yr oedd Eluned yn cael ei hadnabod yn y Wladfa ac yng Nghymru, ac etifeddodd ysbryd anturus ei thad. Plentyn y môr oedd Eluned. Ar y môr y ganed hi, ar fwrdd llong y *Myfanwy*, ac yn sgil hynny cafodd yr enw Eluned Morganed Jones:

> *Doedd dim eisiau llaw fy mam i siglo'm crud i; nid pawb sy'n cael tonnau môr Iwerydd i siglo'i grud.*
> *(Gwymon y Môr)*

Yn ei chyfrol *Gwymon y Môr*, cofnoda Eluned ei hargraffiadau o fordaith a wnaed ganddi, fwy na thebyg, wrth iddi ddychwelyd i'r Wladfa o Brydain a hithau'n ddeunaw oed, ynddi disgrifia Eluned y storm ar y môr a'i hawydd angerddol i brofi rhyferthwy'r storm honno ar ddec y llong. Ceisiodd y Capten ei darbwyllo nad oedd hyn yn syniad call. Ond merch benderfynol oedd Eluned. Mynnodd gael aros ar y dec a bu'n rhaid i'r Capten ddod i ryw fath o gyfaddawd. Rhwymwyd Eluned wrth hwylbren y llong â rhaff gref a'i lapio mewn 'hugan morwr'. Bu yno, wedi'i chlymu wrth yr hwylbren, yng nghanol storm egr am bedair awr. Dyna un stori sy'n adlewyrchu cymeriad anturus ac anghonfensiynol Eluned!

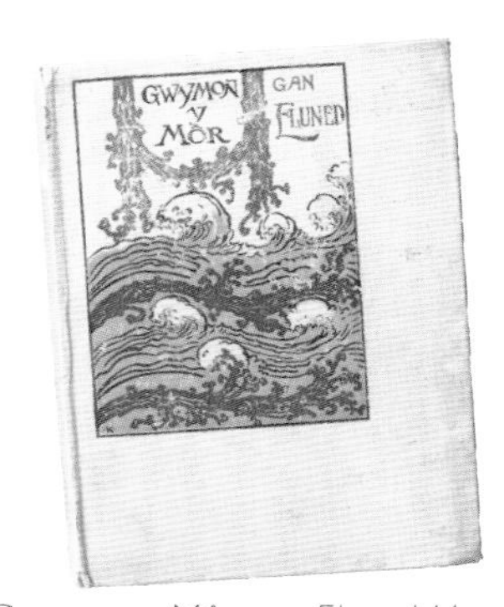

Gwymon y Môr *gan Eluned Morgan*

Yn 1885, anfonodd Lewis Jones ei ferch bymtheg oed draw i Gymru am y tro cyntaf er mwyn cael addysg yn ysgol breswyl Dr Williams, Dolgellau. Hon oedd y gyntaf o chwe thaith gan Eluned i Gymru yn ystod ei hoes. Ychydig iawn o Saesneg oedd ganddi bryd hynny. Ond Seisnig iawn oedd addysg yr ysgol hon ac fe wrthryfelodd Eluned, fel y gwelwn mewn llythyr ganddi at William George:

> *yr oedd traha yr elfen Seisnig wedi mynd yn annioddefol a thwped yr athrawesau parthed pethau Cymreig wedi gwneud un hen waed ferwi drosodd, a dydd mawr fythgofiadwy oedd hwnnw pan aethom yn un llu banerog i ystafell y brif Athrawes i hawlio ein parchu yn ein gwlad ein hunain. Siaradai Winnie Ellis drosof am nas gallwn yr iaith fain yn llithrig – yr oeddwn newydd fy nghospi y diwrnod cynt am siarad iaith fy mam wrth y bwrdd cinio.*
> *(Gyfaill Hoff,*

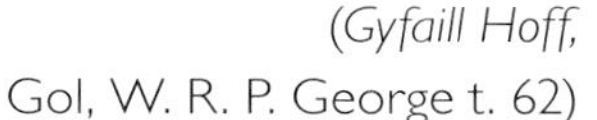
Gol, W. R. P. George t. 62)

Bu'n ymgyrchydd brwd dros addysg Gymraeg y Wladfa. Yn 1891, yn fuan wedi iddi ddychwelyd adref, agorodd Eluned a'i chyfnither, Mair Ryffydd, ysgol ganolraddol i ferched yn Nhrelew, ond ni pharodd yr arbrawf fwy na dwy flynedd.

Ddechrau'r bedwaredd ganrif ar bymtheg, yn ogystal â brwydro dros gael ysgol ganolraddol, ymgyrchodd Eluned dros gael llyfrgell i'r Wladfa. Mewn llythyr at William George, dywed:

> *llyfrau, dyna gyfeillion gorau a ffyddlona'r byd onide?* (*Gyfaill Hoff, gol.* W. R. P. George, t. 69)

Roedd llyfrau Cymraeg fel aur i'r Gwladfawyr. Ond, yn anffodus, roedd y rhan fwyaf o lyfrau'r Wladfa wedi cael eu hysgubo ymaith gan lifogydd difaol 1899. Dyma un enghraifft o lythyr a anfonwyd gan Eluned yn erfyn am lyfrau. Ysgrifennwyd y llythyr hwn at Alafon yng Nghymru ar 30 Rhagfyr 1900, yn dilyn y llanast a wnaed gan y llifogydd:

> *mae llyfrau yn y rhan bellennig hon o'r byd fel oasis yn yr anialwch . . . Yr ydym ni yn yr ardal fechan yma yn ceisio codi Capel bychan yn lle yr un ysgubwyd ymaith gan y lli, ac yn gydiol ar Capel, wedi maith ddadleu yr wyf wedi llwyddo cael ganddynt adeiladu Llyfrgell fechan i blant yr Ardal – y Llyfrgell* gyntaf *yn y Wladfa . . . Buasai Llyfrgell dda yn gydiol a phob Capel; o lyfrau Cymraeg a Seising yn fendith anrhaethol ir Wladfa yn y cyfwng presennol – a gellid cael ysgolion nos yn ystod misoedd y gauaf i ddysgu'r plant i werthfawrogi eu llyfrgell – ond y llyfrau o ba le y cawn hwynt! Nid oes yr un shop lyfrau yn y Wladfa, a phe buasai – mae'r Wladfa yn rhy dlawd yn awr, ar ol y diluw alaethus.*
>
> (Archifdy Prifysgol Bangor, Bangor 10215)

Cychwynodd Eluned weithio fel cysodydd yn 1893 a chyfrannu at bapur y Wladfa a sefydlwyd gan ei thad, sef *Y Drafod*. Bu'n olygydd ar *Y Drafod* yn dilyn marwolaeth y Parch Abraham Matthews yn 1899. Cyhoeddwyd peth o'i gwaith am y tro cyntaf yng ngholofnau *Cymru,* cylchgrawn ei harwr O. M. Edwards yn 1896. Mae cynnwys rhai o'r erthyglau yma i'w weld mewn gwaith a gyhoeddwyd ganddi yn ddiweddarach. Cyhoeddodd Eluned bedair cyfrol rhwng 1904 ac 1915: *Dringo'r Andes*; *Gwymon y Môr*; *Ar Dir a Môr* a *Plant yr Haul.*

Sicrhau parhad y Gymraeg, y diwylliant Cymreig a chrefydd y Wladfa oedd prif grwsâd Eluned. Yn ogystal â bod yn genedlaetholwraig, roedd hi'n heddychwraig o argyhoeddiad. Cyfeiriwyd eisoes at ei chariad at y môr, ac roedd byd natur yn bwysig iddi hefyd. Mae ei disgrifiadau a'i sylwadau am ei thaith anturus dros y paith yn ei chyfrol *Dringo'r Andes* yn profi iddi hefyd broffwydo'r dinistr a wnâi'r ddynoliaeth i'w hamgylchedd naturiol. Merch ymhell o flaen ei hoes oedd Eluned:

> *Rhyw ddydd, mae'n debyg, clywir sŵn bwyeill yn y coedwigoedd tawel, a chroch nadau'r ager-beiriant yn atsain drwy'r cymoedd llonydd, gan ddygyfro ei fwg du ar y dyfroedd grisialog, a throi'r perlog wlith sy'n nythu ar fron pob blodyn gwiw yn ddefnynnau marwol i ysu a difa'r tlysni. Diolch, ynte, am gael troedio'r ardd cyn cyrraedd o'r sarff.*
>
> (*Dringo'r Andes,* Eluned Morgan)

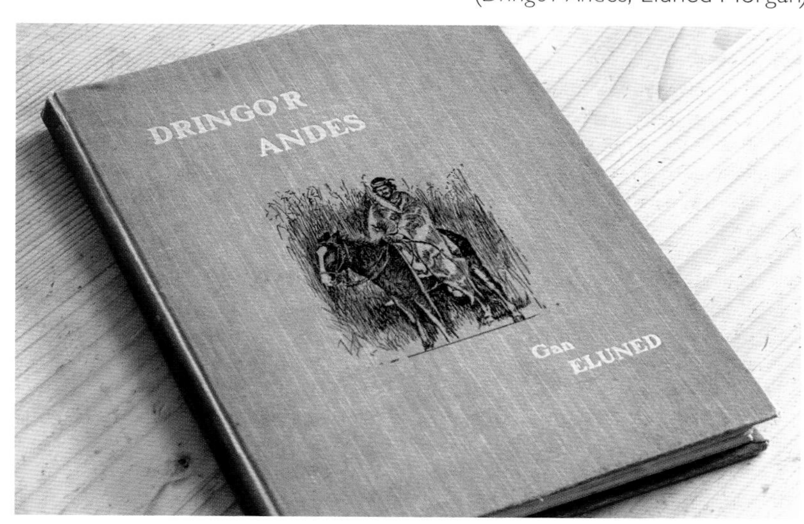

Dringo'r Andes *gan Eluned Morgan*

LLOFRUDDIAETH AARON JENKINS (1828–78)

Merthyr cyntaf y Wladfa

Ganed Aaron Jenkins yn Sain Ffagan, ger Caerdydd. Roedd yn 37 oed pan hwyliodd gyda'i wraig Rachel ar y *Mimosa*. Cofir amdano'n bennaf oherwydd mai ef, diolch i weledigaeth ei wraig Rachel, ddechreuodd y broses o ddyfrhau Dyffryn Camwy. Wyth wythnos ar ôl colli ei wraig gyntaf, ailbriododd â Margaret Jones, merch ifanc 17 oed. Roedd yn ŵr poblogaidd ac amryddawn, ac yn godwr canu yn y capel.

Un bore yn y flwyddyn 1879, dychrynwyd y Gwladfawyr gan si fod yna wylliad peryglus wedi ffoi o garchar yn Punta Arenas, 800 milltir o'r Wladfa, a'i fod wedi cyrraedd yr ardal. Yn y cyfnod hwnnw nid oedd heddweision cyflogedig yn y Wladfa. Cymerai'r dynion y cyfrifoldeb o weithredu fel heddweision rhan-amser am gyfnodau byr, pob un yn ei dro. Un o'r rhain oedd Aaron Jenkins, a gofynnodd Llywydd Cyngor y Wladfa iddo gyrchu'r ffoadur i'r ddalfa. Aeth Aaron ar ei union, a ger y Gaiman, cyfarfu â dau 'heddwas' arall yn tywys y ffoadur tua Threrawson. Eglurodd Aaron fod ganddo wŷs a theithiodd y tri Gwladfawr â'r ffoadur gyda nhw. Teithiai'r ffoadur yn rhwystredig o araf. Cynigiodd y ddau wirfoddolwr gadw cwmni i Aaron hyd at ben ei daith, ond gwrthododd y cynnig.

Pan oedd o fewn 200 llath i dŷ Aaron, ymosododd y carcharor arno, ei drywanu bymtheg gwaith a thorri llinyn ei dafod. Carlamodd y ffoadur tua'r paith ar geffyl Aaron, a'i adael yntau yn ei waed ar y llawr.

Digwyddai Evans Jones, Triongl, fynd heibio'n fuan wedi'r digwyddiad a chafodd fraw wrth weld corff gwaedlyd ei gymydog. Lledodd y newydd brawychus drwy'r ardal ac roedd y Gwladfawyr yn awchu am ddial y cam a wnaed ag Aaron.

Fore trannoeth, cyn codiad yr haul, ymgasglodd ugeiniau o'r Gwladfawyr ar gefn ceffylau i erlid y llofrudd. Roedd ôl carnau ceffyl Aaron yn nhir tywodlyd y paith, a dilynwyd y traciau hyn am ddeng milltir. Yna, mwyaf sydyn, collwyd y trac. Roedd y ffoadur wedi bod yn gyfrwys ac wedi mynd â'r ceffyl i ganol anifeiliaid oedd yn pori ar y paith. Roedd yn amhosib gwneud pen na chynffon o olion carnau'r ceffyl ynghanol olion traed yr anifeiliaid eraill. Cyn pen dim, fodd bynnag, darganfuwyd bod y ffoadur wedi dwyn ceffyl arall o dŷ cyfagos, gyferbyn â'r man lle y collwyd y trac. Roedd hi'n nosi eto, a bu raid aros tan y bore.

Ddeuddydd yn ddiweddarach, wrth chwilio am y ffoadur ar hyd yr afon, gwelwyd y ceffyl a ddygwyd ganddo a gwaeddodd un o'r Gwladfawyr: 'Dacw fo!' Dychrynodd y ffoadur a neidio ar gefn ei geffyl am ei einioes. Anelodd un o'r Gwladfawyr ei wn ato, a disgynnodd yn glewt ar lawr. William Jones y Bedol a saethodd y llofrudd gyntaf, ond er mwyn iddo sicrhau nad ef yn unig oedd yn gyfrifol am ei ladd, saethodd pob un o'r Cymry eraill y corff hefyd.

Gadawodd Aaron weddw a chwech o blant. Fe'i claddwyd ar dir ei dyddyn. Ers hynny, cafodd Aaron Jenkins ei gofio fel 'Merthyr cyntaf y Wladfa'. Mawr fu'r ergyd o golli Gwladfäwr mor flaenllaw a pharod ei gymwynas. Cyfansoddodd y bardd Meudwy (Lewis Evans, 1848–1908) yr englyn hwn iddo:

Ow Aaron dirion dorrwyd – arswydwn
Mor sydyn ei collwyd;
Ein campwr yma'i cwympwyd,
A'i oer le yw daear lwyd.

DYFFRYN Y MERTHYRON

John Daniel Evans

Ddiwedd y bedwaredd ganrif ar bymtheg, hudwyd llawer o'r Gwladfawyr gan y sôn am aur honedig yn yr Andes. Roedd y cyfnod hwn yn un cyffrous wrth i'r Cymry chwilfrydig fentro ar draws y paith i chwilio am diroedd gwell yn ogystal ag aur. Mae'n debyg mai'r sibrydion am yr aur fu'n sbardun i bedwar Gwladfäwr fentro ar daith i archwilio'r berfeddwlad yn 1884. John Daniel Evans (1862–1943) oedd arweinydd y daith hon. Deuai'n wreiddiol o ardal Aberpennar yn yr hen sir Forgannwg ac roedd yn dair oed yn hwylio ar y *Mimosa*. Gydag ef ar y daith fentrus hon roedd Richard B. Davies, Llanelli; John Parry, Rhuddlan a John Hughes o Gaernarfon.

Rhwng 1879 ac 1885, cafwyd ymgyrch ffyrnig gan y Llywodraeth i geisio cael rheolaeth lwyr dros yr Indiaid brodorol. Enw'r ymgyrch hon oedd Conquista del Desierto – Concwest yr Anialwch. Anodd deall, felly, pam y gwnaeth yr Indiaid ymosod yn fileinig ar y pedwar Cymro ar ddiwrnod poeth ym mis Mawrth 1884 yn Nyffryn Kel-kein. Un ddamcaniaeth yw mai dial yr oedd y brodorion am y driniaeth erchyll a gawsent gan yr Archentwyr yn ystod Concwest yr Anialwch. Lladdwyd tri o'r Cymry, ond arbedwyd John Daniel Evans, a chafodd ddihangfa wyrthiol ar ei geffyl, Malacara. Yn ei ddyddiadur mae'n disgrifio ei ddihangfa:

> *Gwneuthum un neidlam gan blannu fy ysbardunau yn ochr fy Malacara yr hwn oedd fel taran o sydyn a llwyddais i dorri trwy gylch yr Indiaid.*
>
> (*Bywyd a Gwaith John Daniel Evans*, Paul W. Birt t. 110)

Neidiodd Malacara i lawr dibyn 12 troedfedd o uchder, a gwnaeth y daith flinedig o dros 100 milltir, heb fwyd, yn ôl i gyfeiriad y Dyffryn gyda'i berchennog clwyfedig ar ei gefn.

Casglwyd mintai arfog o 43 o'r Gwladfawyr i deithio'n ôl i ddyffryn Kel-kein at safle'r gyflafan a adwaenir byth ers hynny yn Ddyffryn y Merthyron. Disgrifiodd Michael D. Jones gyrff y Cymry mewn llythyr yn fuan wedi hynny:

> *Amharchwyd eu cyrph. Yr oedd ôl triniaeth greulon arnynt, wedi eu trywanu mewn llawer i fannau, ac wedi ysbaddu ar y tir. Yr oedd coes, a throed un ar ôl.*
>
> (LIGC 18427)

Claddwyd y gweddillion yn ymyl y man lle cawson nhw eu llofruddio. Arweiniodd Lewis Jones y fintai alarus mewn gwasanaeth ar lan y bedd. Yn 1916 codwyd cofadail i'r tri Chymro a laddwyd gan yr Indiaid.

Bu Malacara fyw tan 1909, ac fe'i claddwyd yng nghartref John Daniel Evans yn Nhrevelin.

Cofeb i'r ceffyl Malacara

Y 'dibyn' y neidiodd Malacara drosto

LLWYD AP IWAN
(1862–1909)

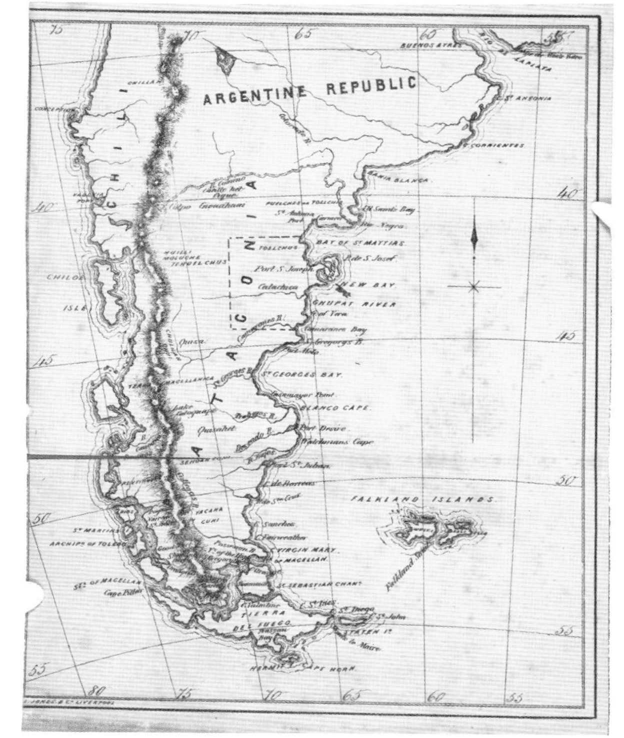

Map gan Llwyd ap Iwan

Mae'n debyg mai digwyddiad mwyaf ysgytwol y ganrif ddiwethaf yn y Wladfa oedd llofruddiaeth Llwyd ap Iwan. Ymfudodd Llwyd, mab Michael D. Jones, i'r Wladfa yn 1886 fel peiriannydd, mapiwr, tirfesurydd ac arloeswr. Priododd â Myfanwy Ruffudd, merch hynaf Lewis Jones, ym mis Mehefin 1891, gan uno dau deulu gwladfaol nodedig. Ymgartrefodd Llwyd a Myfanwy a'u chwe phlentyn yn Nant-y-pysgod yn yr Andes, ac yma yr oedd Llwyd yng ngofal ystordy o gangen yr CMC, sef Cwmni Masnachol y Camwy, a agorwyd yno yn 1906.

Mae gennym dystiolaeth o union amgylchiadau'r llofruddiaeth gan i Robert R. Roberts, a benodwyd yn glerc i weithio yn yr ystordy, ysgrifennu llythyr at ei rieni yng Nghapel Garmon yn adrodd yr hanes.

Yr oedd hi'n ddiwedd prynhawn, a Llwyd ap Iwan wedi rhoi caniatâd i Robert a'r gwas arall ddechrau paratoi i gau'r ystordy. Gadawodd Llwyd nhw a chroesi draw i'w gartref i gael swper gyda'i deulu. Cyn iddo gau, daeth dau wylliad o Ogledd America, William Wilson a Bob Evans, i'r ystordy, gan ofyn am gael prynu gwahanol nwyddau. Mynnodd un ohonyn nhw gael gweld Llwyd ap Iwan ac aeth Robert draw i'r tŷ i'w nôl. Wrth i Llwyd gerdded i mewn i'r stordy, dyma un o'r gwylliaid yn tynnu gwn o'i boced a gweiddi:

> *'Hands up. Deliver the keys or you will be a dead man.'*

Tynnodd y gwylliad arall wn a'i anelu at y ddau was. Arweiniwyd Llwyd ap Iwan at y *safe*. Fel hyn y disgrifiodd Robert yr hyn a ddigwyddodd wedyn:

> *Yr oeddwn i yn clywed Mr ap Iwan yn agor y safe, ag yn rhoi yr arian ir lleidr, ar lleidr yn gofyn iddo 'Is that all'. Yes medda Mr ap Iwan, a dyma fi'n clywed sŵn fel sŵn ymladd, a dyma ergyd allan a Mr ap Iwan yn rhoi yr ochenaid olaf, ond cafodd dair o ergydion ei gollwng allan, ar ôl i Mr ap Iwan druan rhoi yr ochenaid. Wrth gwrs oedd hyn yn blaen i ni fod Mr ap Iwan yn farw. Wel dyma y llofrudd yn ol ir room atom ni ac yn gofyn i ni ddilivrio yr arian oddan ni yn wybod am danynt, ac wrth gwrs toeth dim i wneud ond ufuddau neu oedd ein bywydau yn mynd hefyd . . . Ar ol cael y pres i gyd darfu un o honynt hwy ddechreu tynnu pethau i lawr or store . . . a dechreuodd packio nhw ar i ceffylau, . . . ar ol iddynt orphen pethau cawsom fynd allan, a ffwrdd a nhw nerth traed ei*

ceffylau. Ac wrth gwrs yr oeddyn rhaid tori y newydd ofnadwy i Mrs ap Iwan druan.

(LlGC Ffacs. 369/12)

Brawychwyd y Gwladfawyr yn yr Andes, draw yn y dyffryn ac yng Nghymru gan yr hanes trist hwn. Gadawodd Myfanwy Ruffudd ap Iwan a'i phlant yr Andes yn fuan wedyn. Adeiladwyd tŷ, Bod Iwan, yn ardal Bryn Crwn, Dyffryn Camwy gan y Gwladfawyr i'r teulu. Saethwyd y ddau lofrudd gan yr heddlu ddiwedd 1911. Cafodd y digwyddiad effaith ddifrifol ar y llygad-dyst, Robert R. Roberts, a dychwelodd i Gymru i geisio adfer ei iechyd. Bu farw yn ysbyty meddwl Dinbych.

Llwyd ap Iwan

Adeiladu'r ffordd i'r Andes yn 1888: mae Llwyd ap Iwan yng nghanol y llun

CAPELI'R WLADFA

Capel Seion, Bryn Gwyn

Ble bynnag yr ymfudodd Cymry yn ystod y bedwaredd ganrif ar bymtheg, fe godon nhw gapel! Amcangyfrifir bod 600 o gapeli anghydffurfiol Cymraeg wedi'u codi yn yr Unol Daleithiau yn ystod y ganrif honno.

Bu crefydd yn bwysig iawn i'r Gwladfawyr o'r dechrau'n deg. Cael rhyddid crefyddol oedd un symbyliad i ymfudo i Batagonia yn y lle cyntaf. Cafwyd gwasanaeth crefyddol wrth gladdu plentyn bach o fewn oriau i lanio ym Mhorth Madryn. Teithiodd tri gweinidog ar y *Mimosa*, sef y Parch. Robert Meirion Williams, y Parch. Abraham Matthews a'r Parch. Lewis Humphreys.

Dywed R. Bryn Williams (*Lloffion o'r Wladfa* t. 21) i'r Hen Wladfawyr, sef y fintai gyntaf a deithiodd ar y *Mimosa*, gynnal gwasanaeth crefyddol y Sul cyntaf wedi iddyn nhw gyrraedd Dyffryn Camwy mewn adeilad ffwrdd-â-hi ar gyfer storio bwyd. Nid oedd meinciau pwrpasol yno, felly eisteddai'r gynulleidfa ar sachau gwenith. Pregethodd y Parch. Abraham Matthews ei bregeth ar 'Israel yn yr anialwch' gan ddefnyddio bocs fel pulpud.

Codwyd y capel cyntaf yn y man lle'r ymsefydlodd y Cymry gyntaf, sef Trerawson, yn 1867. (Ar anogaeth R. J. Berwyn, codwyd capel arall yn Nhrerawson yn 1881, capel a adnabyddir hyd heddiw fel Capel Berwyn.) Cyhoeddwyd ym mhapur *Y Brut*, yn 1868, fod gwahoddiad i bawb ddod â'i sedd ei hun i'r capel bychan yn Nhrerawson. Disgrifia R. Bryn Williams y capel hwn:

> *Priddfeini wedi eu sychu a'u caledu oedd deunydd ei furiau, ei do yn foncyffion helyg wedi eu gorchuddio â chlai, a'i lawr o bridd wedi caledu.*
>
> (*Lloffion o'r Wladfa* t. 23)

Does rhyfedd, felly, i lifogydd ffyrnig 1899 sgubo capel Trerawson ymaith.

Capel Berwyn, Rawson, gan Edi Dorian Jones, o'i gyfrol Capillas Galegas en Chubut *am gapeli'r Wladfa*

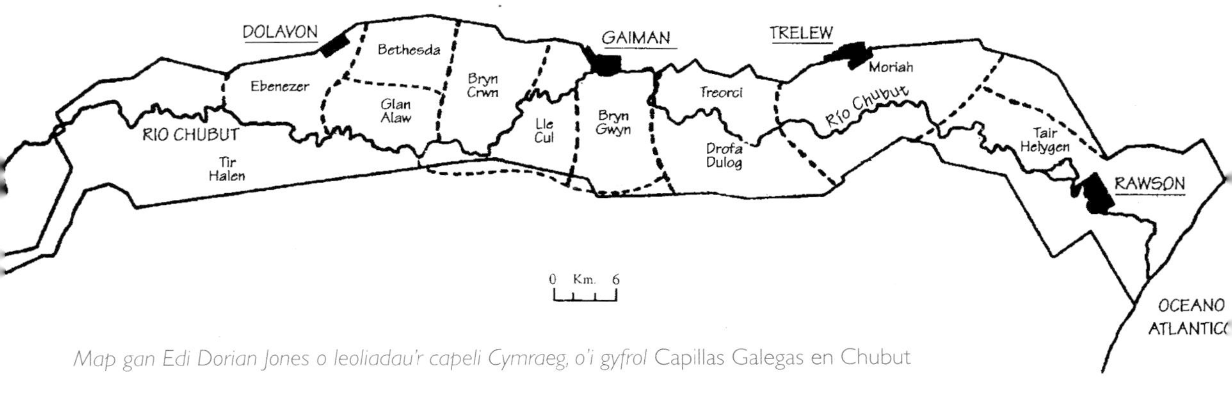

Map gan Edi Dorian Jones o leoliadau'r capeli Cymraeg, o'i gyfrol Capillas Galegas en Chubut

Defnyddid y capeli nid yn unig ar gyfer gwasanaethau crefyddol ond ar gyfer pob math o gyfarfodydd eraill hefyd. Defnyddiwyd Capel Berwyn at sawl pwrpas yn ystod y blynyddoedd cynnar, fel addoldy, siambr i Gyngor y Wladfa, llys barn, ysgol a hyd yn oed fel carchar.

Wrth i boblogaeth y Wladfa dyfu, a theuluoedd yn byw filltiroedd oddi wrth ei gilydd, roedd galw am fwy o gapeli ar hyd y Dyffryn. Yn 1880, codwyd capel Moriah ger Trelew. Dyma'r unig gapel sydd â mynwent ynghlwm wrtho heddiw. Ceir cofgolofnau i'r Parch. Abraham Matthews ac i Edwin Cynrig Roberts yno, ynghyd â bedd Lewis Jones, a fu farw yn 1904. Yn ystod dathliadau'r canmlwyddiant, gosodwyd plac efydd ar garreg fedd pob Hen Wladfäwr a deithiodd ar y *Mimosa*.

Yn yr Andes ceir dau gapel: capel Seion, Esquel a chapel Bethel, Trevelin. Bu'r Gwladfawyr yn yr Andes hwythau'n ffyddlon iawn i'r capel, a'r capel yn ganolbwynt i'w

Capel y Llwyn yn 1909

Capel Bethel, Trevelin, yn 2007, ger yr un safle ag y bu Capel y Llwyn gynt

bywydau crefyddol a chymdeithasol. Y capel a'r *Band of Hope* oedd cyfrwng addysg pennaf nifer o'r Gwladfawyr.

Bu gafael y capel a'r ysgol Sul ar y cymunedau Cymraeg yn gryf. Erbyn canol yr ugeinfed ganrif, a'r iaith yn edwino, yn aml iawn y capel oedd yr unig le y siaradwyd y Gymraeg yn gyhoeddus ynddo ymhlith yr hen a'r ifanc.

Erbyn heddiw mae llywodraeth talaith Chubut yn hyrwyddo'r capeli yma fel llefydd i dwristiaid fynd i ymweld â nhw, ac maen nhw'n werth eu gweld. Neilltuodd y llywodraeth bresennol swm o arian i adnewyddu a diddosi sawl un ohonyn nhw. Mae'r capeli, fel y ffosydd, a adeiladwyd drwy chwys a llafur mawr, yn dystiolaeth o aberth a dyfalbarhad y Cymry yn y Wladfa, ac yn gofgolofnau iddynt.

Mae 16 o gapeli'n dal i'w gweld yn Nyffryn Camwy heddiw:

Rawson 1867/1881
Gaiman 1876/1884 (Bethel – yr 'hen' gapel) ac 1913 (Bethel – y capel 'newydd')
Frondeg 1878
Moriah 1880
Tair Helygen 1883
Bryn Gwyn 1883
Bryn Crwn 1884
Glan Alaw 1887
Tir Halen 1888
Trelew 1889
Drofa Dulog 1891
Ebenezer 1894
Bethesda 1895
Treorci 1896
Dolavon 1920
Lle Cul 1932

ADDYSG A DIWYLLIANT

R. J. Berwyn a'i wraig Elizabeth gyda rhai o'u plant

Un o ddelfrydau'r Hen Wladfawyr oedd rhoi addysg i'w plant. Aethant ati ar unwaith i wireddu'r freuddwyd honno a sefydlu ysgol yn ardal Glyndu. Y Parch. Lewis Humphreys oedd yr athro cyntaf arni. Pan ddychwelodd i Gymru i adfer ei iechyd, olynwyd ef dros dro gan y Parch. Robert Meirion Williams – ond fe adawodd yntau hefyd. Pan ddychwelodd y Gwladfawyr i Ddyffryn Camwy ym mis Awst 1867 wedi'r daith tua'r gogledd i chwilio am diroedd gwell, sefydlwyd ysgol newydd, ac R. J. Berwyn yn athro ynddi. Yn 1871 addaswyd ysgerbwd llong ddrylliedig a'i ddefnyddio fel ysgoldy, galwyd hon yn Ysgol Trerawson. Y Beibl oedd y gwerslyfr cyntaf.

Chwaraeodd yr Ysgol Sul ei rhan yn addysgu plant ac oedolion y Wladfa. Mewn llythyr at Saunders Lewis ar 27 Ebrill 1965, dywedodd R. Bryn Williams:

> *Roedd y Gymraeg yn gyfrwng trafod mewn Senedd ac ysgol, dysgid y Sbaeneg trwy gyfrwng y Gymraeg pan oedd y Welsh Not mewn bri yng Nghymru. Mae Cymru druan yn dal i ddisgwyl am ryw adroddiad ynghylch rhoi statws swyddogol i'r iaith Gymraeg. Dysgid rhifyddeg, nid mathemateg, yn ysgolion y Wladfa yn 1870. Mae Cymru yn ofni mentro dysgu hynny trwy gyfrwng y Gymraeg heddiw.*
>
> (LIGC 22725)

Er gwaethaf caledi'r blynyddoedd cynnar, roedd bri ar y cyrddau llenyddol. Mae'n debyg i eisteddfod gyntaf y Wladfa gael ei chynnal ar ddydd Nadolig 1865. Nid cadeiriau a roddwyd fel prif wobrau ond llyfrau.

R. J. Berwyn a chyhoeddiadau Cymraeg cyntaf y Wladfa

Bu'r Wladfa'n ffodus o gael R. J. Berwyn ymhlith y fintai gyntaf gan ei fod yn athro trwyddedig a fu'n dysgu yng Nghymru a Lloegr cyn ymfudo i Batagonia. Yn 1868 cyhoeddwyd papur *Y Brut* yn fisol o dan olygyddiaeth Berwyn. Roedd hyn pan oedd poblogaeth y Wladfa yn 110 yn unig a dim ond 50 o dai yno. Fe'i hysgrifennwyd â llaw ar 24 tudalen a'i drosglwyddo o dŷ i dŷ. Lluniodd Berwyn hefyd werslyfr Cymraeg, y llyfr Cymraeg cyntaf i'w argraffu yn Ne America, yn 1878. Bu cyfraniad Berwyn i fyd addysg a diwylliant y Wladfa'n amhrisiadwy.

Ein Breiniad oedd y papur cyntaf i'w argraffu yno, a hynny ym mis Medi 1878. Lewis Jones oedd y golygydd. Sefydlodd Lewis Jones hefyd bapur *Y Drafod* yn 1891, ac mae'n dal i fynd o nerth i nerth heddiw.

Elaig

Yn 1878, anfonwyd athro o Sais oedd wedi dysgu Cymraeg a Sbaeneg i'r Wladfa. R. J. Powell oedd ei enw, ond fe'i hadwaenid wrth ei enw barddol – Elaig. Cymhwysodd fel athro cenedlaethol yn Buenos Aires. Ar y dechrau roedd y Gwladfawyr yn ddrwgdybus ohono gan ei fod yn Babydd, ond oherwydd ei fod yn athro cyflogedig gan y llywodraeth, cyfrannai'r llywodraeth at yr ysgolion. Golygai hyn yn ei dro fod gan y llywodraeth awdurdod dros yr ysgolion Cymraeg. Yn 1896, mabwysiadwyd polisi o ddysgu trwy gyfrwng y Sbaeneg yn unig drwy ysgolion cynradd yr Ariannin, a chyn hir Sbaeneg oedd cyfrwng addysg ysgolion y Wladfa. Ysgrifennodd Elaig lyfrau i ddysgu Sbaeneg drwy gyfrwng y Gymraeg ac argraffwyd ei werslyfr Cymraeg–Sbaeneg yn 1880. Bu farw pan foddodd yn afon Camwy.

Mae trigolion yr Ariannin yn cael eu hannog i fod yn wladgarol o oedran ifanc iawn. Codir baner yr Arianin bob bore ym mhob ysgol drwy'r Weriniaeth hyd heddiw a chenir cân o glod i'r faner.

Ysgol Ganolraddol y Camwy

Yn 1904, ffurfiwyd Cymdeithas Addysg Ganolraddol y Camwy. Roedd y Gwladfawyr ynghlwm wrth yr addysg a ddarparai llywodraeth y wlad tan eu bod yn 14 oed. Gwelodd Eluned Morgan a'i thebyg fod modd ymestyn yr addysg wedi'r oed hwnnw a dyna pryd y plannwyd y syniad o addysg bellach drwy gyfrwng y Gymraeg i blant y Wladfa. Yn dilyn ymgyrch arwrol, agorwyd yr ysgol yn y Gaiman yn 1906.

Ysgol y Camwy. Gwelir ei harfbais uwchben y drws 'Gorau Arf, Arf Dysg'

R. Bryn Williams (1902–1981)

Llenor, bardd, dramodydd a hanesydd. Ymfudodd i Batagonia pan oedd yn saith oed a dychwelyd i Gymru pan oedd yn 23 oed. Enillodd y Gadair yn yr Eisteddfod Genedlaethol yn 1964 ac 1968. Bu'n Archdderwydd rhwng 1975 ac 1978.

Arwyddair Ysgol Ganolraddol y Camwy hyd heddiw yw 'Nid byd, byd heb wybodaeth'.

Bu'r ysgol hon yn gaffaeliad mawr i warchod y Gymraeg yn y Wladfa. Ond gyda phriodasau cymysg, economi ansefydlog, agor coleg cenedlaethol yn Nhrelew a llacio yn y cyswllt rhwng y Wladfa a Chymru yn ystod cyfnodau'r ddau Ryfel Byd, bu gostyngiad sylweddol yn nifer y disgyblion. Caewyd yr ysgol ddechrau'r 1950au.

Erbyn dechrau'r 1960au, a dathliadau canmlwyddiant yr ymfudo cyntaf ar y gorwel, roedd hiraeth am yr hen Ysgol Ganolraddol a ffurfiwyd Cymdeithas Gymraeg Addysg a Diwylliant y Wladfa. Ailagorodd Ysgol Ganolraddol y Camwy yn 1963 gyda Luned Vychan Roberts de González yn brifathrawes arni.

Sbaeneg oedd cyfrwng y dysgu, ond yn 1995 llwyddodd Luned i gael gwersi Cymraeg swyddogol yn yr ysgol, gan roi'r dewis i'r myfyrwyr astudio Ffrangeg neu Gymraeg. Dewisodd 40 o'r disgyblion ddysgu Cymraeg. Mae'r ysgol bellach yn ganolfan i ddosbarthiadau Cymraeg.

Y mae desg yn yr ysgol hyd heddiw a dderbyniwyd yn rhodd gan David Lloyd George yn 1910.

Dyma a dywedodd R. Bryn Williams am yr ysgol:

Y mae adeilad yr hen Ysgol Ganolraddol yn Gaiman yn un o'r rhai gorau a adeiladwyd yn y Wladfa, ei hystafelloedd yn eang a golau a'i gwaith coed yn raenus. Dyma dyst arall i ddygnwch ac aberth y Cymry dros addysg a diwylliant. (*Crwydro Patagonia*, R. Bryn Williams t. 41)

Ysgol yn yr Andes yn 1909

Ysgol yr Andes heddiw lle cynhelir dosbarthiadau Cymraeg, er nad yw hi'n ysgol ffurfiol

LLAIS A LLUN Y WLADFA

Y ffotograffydd John Murray Thomas

Cofnodwyd hanes y Wladfa o'i dechreuad hyd heddiw trwy gyfrwng cerddi, dramâu, dyddiaduron, ysgrifau, llythyrau a llyfrau hanes. Rydym yn ffodus hefyd i gael cofnod ychwanegol trwy gyfrwng llais a llun. Ysbrydolwyd nifer o artistiaid y Wladfa a Chymru i gofnodi'r hanes mewn caneuon, rhaglenni radio a theledu a ffilmiau, yn ogystal â darluniau a ffotograffau.

Y Ffotograffydd John Murray Thomas (1847–1929)

Cofnodwyd hanes pobl y Wladfa a'u ffordd o fyw trwy gyfrwng lluniau o'r dechrau un yn y Wladfa. Yn ogystal â bod yn gofnod hanesyddol, roedd y ffotograffau'n bwysig fel y gallai'r Gwladfawyr eu hanfon at eu perthnasau gartref. Roedd y ffotograffau'n fodd iddynt ddangos eu gwlad fabwysiedig ynghyd ag aelodau newydd y teulu, gan na welodd y rhan fwyaf o'r Hen Wladfawyr eu teuluoedd yng Nghymru eto wedi iddynt ymfudo.

Un o arloeswyr mawr y dyddiau cynnar oedd John Thomas. Roedd yn 17 oed pan hwyliodd y *Mimosa*. Yn fuan ar ôl cyrraedd, gadawodd y Wladfa gyda Lewis Jones a hwylio i Buenos Aires. Yno dysgodd Sbaeneg, gan hyfforddi fel cyfrifydd cyn mynd i fyd busnes, a mabwysiadu 'Murray' yn ail enw. Yn 1874 daeth i'r Wladfa i agor masnachdy gyda'i long y *Gwenllian*, a enwyd ar ôl ei chwaer, a bu ei sgiliau busnes o fudd mawr i'r Gwladfawyr.

Llong y Gwenllian *ar afon Camwy*

John Murray Thomas yn yfed mate *gyda'i gyfeillion*

Mae'n debyg y cofir amdano'n bennaf am iddo ariannu ac arwain sawl taith feiddgar i archwilio tiroedd ehangach Chubut. Yn ystod un o'r teithiau hyn, dringodd Thomas i ben mynydd a adwaenir hyd heddiw fel Pico Tomas.

Yn 2006, cynhyrchwyd rhaglen deledu'n dilyn yr actor enwog Matthew Rhys wrth iddo geisio ail-greu taith anturus ei arwr John Murray Thomas dros y paith yn *Patagonia: O'r Môr i'r Mynydd.*

Yn ffodus iawn i ni heddiw, roedd John Murray Thomas yn feistr amatur ar dynnu lluniau gyda'i gamera. Trwy gyfrwng ei luniau, croniclodd hanes a ffordd o fyw'r gymuned Gymraeg yn Nyffryn Camwy ac yn yr Andes. Mae ei luniau ar gael i ni heddiw yn Archifdy Prifysgol Bangor ac maen nhw'n adrodd hanes rhai o'i deithiau a'r cymeriadau dewr fu'n archwilio'r wlad.

Edi Dorian Jones (1952–2008)

Y ffotograffydd Edi Dorian Jones

Ffotograffydd blaengar a chasglwr lluniau'r cyfnod modern oedd y diweddar Edi Jones o Drelew, a fu farw yn 2008. Roedd yn hanu o deulu'r Eagles, Llanuwchllyn, a deithiodd i'r Wladfa yn 1911 i osgoi'r Rhyfel Byd Cyntaf ac yn or-ŵyr i Thomas Jones, Glan Camwy, un o arloeswyr y *Mimosa.*

Bu Edi'n ffotograffydd ar bapur talaith Chubut, y *Jornada.* Cyhoeddodd lyfrau'n cofnodi llawer o luniau'r Wladfa, ddoe a heddiw. Ef sy'n bennaf cyfrifol am adfer llawer o hen luniau John Murray Thomas a welir mewn cyfrol o'r enw *Una Frontera Lejana.* Cyhoeddodd gyfrol ar gapeli Cymraeg y Dyffryn yn 1999.

Capel Moriah, Trelew, gan Edi Dorian Jones o'i gyfrol Capillas Galegas en Chubut *am gapeli'r Wladfa*

Yr Arlunydd Delyth Llwyd

Ychydig iawn o arlunwyr amlwg a gynhyrchodd y Wladfa, ond gwnaeth un ei marc yn ddi-os yn y maes hwn.

Ganed Delyth Llwyd, neu Mrs Herbert Powell Jones, i deulu oedd yn deyrngar iawn i'r Gymraeg. Ei mam oedd y delynores Barbra Llwyd. Ysgrifennodd Delyth Llwyd o Buenos Aires at ei pherthynas R. Bryn Williams yng Nghymru yn 1973 gan ddweud:

> *Annwyl Bryn:*
> *Yr ydym wedi bod yn lwcus iawn yn ddiweddar drwy dderbyn bwndel go dda o bapurau Cymraeg bron bob mis. Yr Herald Gymraeg, Barn, Y Faner, ac eraill. Ar ol eu darllen i gyd, rydym yn teimlo fel pe baem wedi bod am wib i Gymru. Yr ydym yn mwynhau darllen am yr ymdrech ynglŷn a'r iaith, ac yn edmygu y rhai sydd yn fodlon talu dirwy neu gael eu carcharu er mwyn eu delfrydau.*
>
> (LlGC 19035)

Enillodd yr arlunydd Kyffin Williams Ysgoloriaeth Goffa Winston Churchill yn 1968 i ymweld â'r Wladfa. Bu'r ymweliad hwn yn drobwynt yn ei hanes fel arlunydd ac fel person. Cynhyrchodd dros 700 o frasluniau a dyfrlliwiau yn ystod ei ymweliad. Cyflwynodd gyfran helaeth o'i ddarluniau o'r Wladfa i Lyfrgell Genedlaethol Cymru. Daeth Kyffin a Delyth Llwyd yn gyfeillion, ac edmygai'r ddau waith ei gilydd. Yn ei gyfrol *A Wider Sky*, mae Kyffin Williams yn hel atgofion am ei ymweliad â Buenos Aires a'r Wladfa ac yn disgrifio Delyth Llwyd fel:

> *one of the best-looking women I was to see in Argentina. She had been invited as she was the only artist from Welsh Patagonia, and she was to be a great help to me later when I was in need of the painting materials that I was unable to find in the far south.*
>
> (*A Wider Sky*, Kyffin Williams, t. 135)

Bu farw Delyth Llwyd yn 1986.

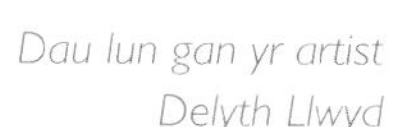

Dau lun gan yr artist Delyth Llwyd

Radio

Ganol yr ugeinfed ganrif, dechreuwyd ar yr arfer o anfon disgiau o Gymru gyda phregethau Cymraeg a beirniadaethau ar gyfer Eisteddfod y Wladfa arnyn nhw. Profiad rhyfeddol i'r Gwladfawyr yn eu heisteddfod oedd gwrando ar y disgiau hyn o Gymru. Gellid clywed pìn yn disgyn yn neuadd yr eisteddfod wrth i'r Gwladfawyr wrando'n astud ar bobl fel Cynan ac R. Bryn Williams yn traddodi eu beirniadaethau.

Yn 1963, agorwyd gorsaf radio yn Nhrelew. Bu pobl fel Elvey MacDonald ac yna Tegai Roberts yn cyflwyno recordiau Cymraeg unwaith yr wythnos i'r Gwladfawyr. Erbyn heddiw mae nifer o raglenni

Tegai Roberts a'i chwaer, Luned Vychan Roberts de González, yn cyflwyno recordiau yng ngorsaf radio Trelew

wythnosol sy'n ymwneud â materion Cymreig ac yn chwarae recordiau Cymraeg traddodiadol a chyfoes yn cael eu darlledu ar orsafoedd radio yn Nyffryn Camwy a'r Andes.

Teledu a ffilm

Gyda dathliadau'r canmlwyddiant ar y gorwel a thechnoleg cyfathrebu'n datblygu'n gyflym, cryfhaodd y cyswllt rhwng Cymru a'r Wladfa. Yn 1955, 90 mlynedd wedi'r glanio ym Mhorth Madryn, aeth Nan Davies, cynhyrchydd gyda'r BBC, draw i'r Wladfa i ffilmio disgynyddion y Cymry.

Yn 1979, aeth criw o'r BBC i ffilmio cyfres uchelgeisiol ar hanes y Wladfa a'i phobl. *Plant y Paith* oedd enw'r gyfres ac Owen Edwards oedd yn ei chyflwyno. Ers hynny, aeth degau o wahanol gwmnïau teledu a ffilm draw i'r Wladfa a chael eu swyno gan y wlad a'i phobl gyda'u Cymraeg croyw â'r acen Sbaeneg.

Ymhlith rhaglenni mwyaf poblogaidd S4C o Batagonia, mae *Patagonia: Suddo'r Mimosa, Y Tŷ Cymreig: Dyffryn Camwy, Cof Patagonia, Dau yn Un: Patagonia* a *Poncho Mamgu*. Bu Dai Jones yn bwrw golwg dros fywyd amaethyddol y wlad mewn amryw gyfresi o *Cefn Gwlad* yn ogystal. Mae'r diddordeb yn parhau yn yr unfed ganrif ar hugain, gyda ffilm fawr newydd yn cael ei darlledu yn 2011, sef *Patagonia*. Mae hon yn olrhain hanes dwy ferch, y naill yng Nghymru a'r llall ym Mhatagonia, yn gweld hanes eu bywydau trwy gyfrwng ffotograffiaeth.

Seperado!

Yn 2009, cynhyrchwyd ffilm gan y canwr poblogaidd Gruff Rhys o grŵp y Super Furry Animals. Ymgais oedd hon gan Gruff i ganfod ei deulu yn y Wladfa. Yn 1882, ger Y Bala, heriodd Dafydd Jones, Ddolfawr, ei gefnder i ras geffylau. Twyllodd Dafydd trwy roi ei geffyl ei hun i'w gefnder gan wybod y byddai'r ceffyl yn troi am ei gartref yn hytrach na gorffen y ras.

Gruff Rhys a chydymaith yn y ffilm Seperado!

Bu'r weithred hon yn drobwynt ym mywyd Dafydd Jones, gan i'w gefnder ddisgyn oddi ar y ceffyl a chael ei ladd. Rhag wynebu llid ei deulu, ymfudodd Dafydd Jones i'r Wladfa i ddianc rhag y gwarth a fyddai'n siŵr o'i ddilyn. Cyfrannodd Dafydd Jones a'i ddisgynyddion yn helaeth at fywyd y Wladfa. Bu farw yn 1929. Un o or-wyrion niferus Dafydd Jones yw'r canwr poblogaidd René Griffiths.

Aeth Gruff Rhys i'r Wladfa i chwilio am ei deulu. Dyna i chi ddau sy'n canu mewn arddulliau tra gwahanol, wedi'u magu'r naill ochr i'r Môr Iwerydd, ond yn hanu o'r un goeden deuluol. Mae René'n cyfuno arddull gerddorol De America a themâu gwladfaol, tra bod Gruff yn ganwr pob mwy gorllewinol ei arddull. Ond mae'r ddau yn canu mewn dwy iaith: Gruff Rhys yn canu yn Gymraeg a Saesneg a René Griffiths yn canu yn Gymraeg a Sbaeneg.

Mae etifeddiaeth Sbaeneg a Chymraeg René Griffiths i'w chlywed yn glir ar y cryno ddisg hwn

YMA O HYD

Cofgolofn yn Nhrelew i nodi canmlwyddiant sefydlu'r Wladfa 1865–1965

Mi fyddai un o drigolion y Wladfa yn arfer dweud fod gallu dwy iaith yr un peth â bod â dwy ffenest mewn ystafell. 'Fe welwch fwy trwy ddwy ffenest na thrwy un,' meddai, 'a'r un modd cewch olwg mwy eang ar eich byd trwy gyfrwng dwy iaith.'

(Irma Hughes de Jones, *Byw ym Mhatagonia*, goln. Guto Roberts a Marian Elias Roberts. t. 44)

Mae'n debyg mai'r Wladfa ym Mhatagonia yw'r unig fan yn y byd lle mae'r Gymraeg yn fwy defnyddiol na'r Saesneg.

Ers ei sefydlu, bu'r Gymraeg yn ganolog, nid yn unig i fywyd y cartref a'r capel, ond hefyd ym myd masnach a chyllid. Trefnodd y Cymry ym Mhatagonia eu gweinyddiaeth eu hun. Yn ôl Cyfansoddiad y Wladfa, y swyddogion fyddai: Llywydd, 12 Cynghorydd, Ynad Heddwch, Ysgrifennydd, Trysorydd a Chofrestrydd. Yn Gymraeg y cadwyd cofnodion Cwmni Masnachol y Camwy neu'r 'Co-op' fel y'i gelwid gan y Gwladfawyr, yn ogystal â'r Cwmni Dyfrhau. Trwy gyfrwng y Gymraeg y dysgwyd y plant yn ysgolion cynnar y Wladfa.

Gyda chenhedloedd lawer yn ymfudo i'r Ariannin ddiwedd y bedwaredd ganrif ar bymtheg a dechrau'r ugeinfed ganrif, ceisiodd llywodraeth yr Ariannin godi ymwybyddiaeth Archentaidd ymysg ei trigolion newydd. Daeth trin a thrafod trwy gyfrwng y Gymraeg yn anos. Dechreuodd y Gwladfawyr ymdoddi fwyfwy i'r bywyd Archentaidd. Daeth priodasau cymysg yn gyffredin ac yn sgil dirwasgiad byd-eang ganol y 1930au, symudodd llawer i rannau eraill o'r Ariannin i chwilio am waith.

Aeth y Co-op yn fethdalwr yn ystod y 1930au. Bu'r cwmni cydweithredol hwn, a sefydlwyd yn 1885, yn symbol o undod a llwyddiant y Wladfa. Yn ogystal ag allforio cynnyrch amaethyddol, roedd y Co-op yn mewnforio cynnyrch i drigolion y Wladfa. Roedd yn delio â phob math o nwyddau – ac eithrio alcohol! Bu colli'r cwmni hwn, a fu'n allweddol i'r Gwladfawyr ac yn destun balchder iddynt, yn ergyd drom. Collodd llawer o'r Gwladfawyr eu cynilon yn ogystal â'u hyder yn eu Gwladfa Gymreig.

Sbaeneg oedd prif iaith y to ifanc rhwng canol a diwedd yr ugeinfed ganrif. Roedd y Gymraeg bellach yn amherthnasol i'r mwyafrif ohonyn nhw. Gwawdiwyd rhai o'r plant a siaradai Gymraeg gan eu cyfoedion a'u galw'n *Galensos pan y manteca* (Cymry bara menyn). Erbyn canol yr ugeinfed ganrif, roedd yr iaith Gymraeg ar drai yn y Wladfa. Breuodd y cysylltiad rhyngddi a Chymru. Ond yn 1939 ffurfiwyd Cymdeithas Cymry–Ariannin i fod yn ddolen gyswllt rhwng Cymru a'r Wladfa Gymreig. Bu'r gymdeithas hon yn allweddol i gadw'r cysylltiad rhwng y ddwy wlad ac mae'n parhau i fod yn hollbwysig.

Y Co-op (Cwmni Masnachol y Camwy)

Dathliadau'r canmlwyddiant

Diwrnod hanesyddol oedd dydd Mawrth 26 Hydref 1965, pan laniodd awyren ym maes awyr Trelew yn cludo 73 o Gymry i ymuno yn nathliadau canmlwyddiant glaniad y *Mimosa*. Esgorodd y dathliadau hyn ar ddeffroad o ran y Gymraeg ym Mhatagonia, a chryfhau'r cyswllt rhwng y ddwy wlad. Cynhaliwyd Eisteddfod y Wladfa yn 1965 am y tro cyntaf ers pymtheng mlynedd. R. Bryn Williams oedd beirniad cystadleuaeth y Gadair a dyfarnwyd y diweddar Brifardd Dic Jones yn fuddugol. Ers hynny, mae Eisteddfod y Wladfa wedi mynd o nerth i nerth, ac mae'n ddigwyddiad pwysig i Archentwyr o dras Gymreig. Yn 2001, ailsefydlwyd Gorsedd y Wladfa gyda'r diweddar Clydwyn ap Aeron Jones yn llywydd.

Er iddynt fabwysiadu iaith ac arferion eu gwlad newydd, yn eu plith yr *asado* (dull o rostio cig), yfed *mate* (diod o ddail yr *yerba*) a chanu'r gitâr, glynodd y Gwladfawyr at nifer o hen arferion eu cyndeidiau. Mae'r te Cymreig yn parhau i fod yn rhan ganolog o fywyd y Wladfa. Cododd y *casas de té* – tai te – fel madarch drwy'r Wladfa ddiwedd y ganrif ddiwethaf, ac mae'r rheiny'n atyniad twristaidd o bwys. Mae bellach chwech casa de té Cymreig yn y Gaiman yn unig.

Medal i ddathlu'r canmlwyddiant yn 1965

Asado – *dull o rostio cig*

Carreg filltir bwysig arall yn hanes y Gymraeg yn y Wladfa oedd y cyhoeddiad yn 1996 y byddai'r Swyddfa Gymreig yn ariannu cynllun dysgu Cymraeg yno. Yn dilyn sefydlu Cynulliad Cenedlaethol Cymru, mabwysiadwyd y cynllun gan Lywodraeth Cymru ac fe'i gweinyddir gan y Cyngor Prydeinig, gyda chefnogaeth Canolfan Dysgu Cymraeg Caerdydd a Chymdeithas Cymru–Ariannin, sydd hefyd yn cyfrannu tuag at ei gyllido. Ers 1997, mae athrawon o Gymru'n teithio i Ddyffryn Camwy ac i'r Andes i ddysgu Cymraeg. Bu'r cynllun hwn yn llwyddiant ysgubol, gan godi ymwybyddiaeth o'r Gymraeg a'r diwylliant Cymreig yn y Wladfa.

Casa de té – *un o'r tai te sy'n denu twristiaid*

Handel Jones y Sra.

Casa de Té "Gaiman"

AIRE ACONDICIONADO

H. YRIGOYEN 738 ☎ 91131 GAIMAN (CH.)

Casa de té yn y Gaiman

Danzas Folclóricas Galesas

Dawnsio Gwerin Trevelin

Y Felin/El Molino, Trevelin
Nos Iau/Jueves
20:30 –21:30

Gwybodaeth/Información:
Eluned Evans

Menter PATAGONIA

Cymdeithasu dwyieithog yn y Wladfa heddiw, wedi'i drefnu gan Fenter Patagonia

Daw myfyrwyr o'r Wladfa i Gymru bob blwyddyn er mwyn gloywi eu Cymraeg. Sefydlwyd Menter Iaith Patagonia yn 2008, sy'n gwneud gwaith aruthrol i gynnal a hybu'r defnydd o'r Gymraeg yn y Wladfa.

Yn 2006, agorwyd Ysgol yr Hendre yn Nhrelew, ysgol ddwyieithog Sbaeneg a Chymraeg i blant 3–5 oed, ac mae cynlluniau ar y gweill i sefydlu ysgol debyg yn y Gaiman. Ym mlynyddoedd ola'r ganrif ddiwethaf, sefydlwyd Canolfan Gymraeg yr Andes yn Esquel ac adferwyd hen dŷ capel Bethel, Trevelin, at y pwrpas o ddarparu gwersi a pharatoi adnoddau ar gyfer dosbarthiadau Cymraeg a gynhelir mewn adeiladau ysgolion lleol hefyd.

Mae'r adfywiad o ran y Gymraeg yn y Wladfa yn ystod y pymtheng mlynedd diwethaf wedi bod yn syfrdanol. Yn ystod y cyfnod hwn, gefeilliwyd trefi Aberystwyth ac Esquel, a Phorth Madryn a Nefyn. Yn 2007, etholwyd Gabriel Restucha (Gwladfäwr rhugl ei Gymraeg ac un o athrawon blaengar y Gymraeg yn Nyffryn Camwy) yn Faer y Gaiman. Ers ei ethol, mae Gabriel Restucha wedi llwyddo i gael arwyddion dwyieithog – Sbaeneg a Chymraeg – yn y Gaiman.

Mae'r Gymraeg bellach yn weladwy mewn tref fechan fel y Gaiman, ac mae'r iaith i'w chlywed fwyfwy ar leferydd ieuenctid y Wladfa yn Nyffryn Camwy ac yn yr Andes, pa un a oes ganddyn nhw gysylltiadau Cymreig ai peidio. Nid iaith Nain a Thaid yn unig mo'r Gymraeg yn y Wladfa heddiw. Mae'r Ariannin bellach hefyd yn cydnabod ei dyled i'r Hen Wladfawyr am droi tir diffaith y rhan fach hon o Dde America yn gymunedau bywiog, llawn hanes a balchder yn eu tras Gymreig.

Mae'r Gymraeg yn parhau i fod yn elfen bwysig yn hanes y Gwladfawyr bron i 150 o flynyddoedd ers yr antur fawr i sefydlu Gwladychfa Gymreig ym Mhatagonia. Nid oes sicrwydd am faint y pery'r Gymraeg yn destun balchder i Archentwyr y Wladfa ym Mhatagonia, ond ar hyn o bryd gallant ymfalchïo, 8,000 o filltiroedd o Gymru, eu bod 'Yma o Hyd'!

Plant ysgol Trevelin

Y Gymraeg a'r Sbaeneg yn cyfuno'n naturiol ym myd masnach

Eisteddfod y Wladfa, Trelew, 25 Hydref 2008

Y Wladfa, *Kyffin Williams*